JN104814

基礎から
学べる

現代アート

現代アートを基礎から学べるチャンネル

亀井博司

監修：山本浩貴

登場人物

臥蛇峠 美美
<small>が じゃとうげ み み</small>

現代アートが好きで、自分でいろいろ
調べて現代アートのおもしろさを探求し
ている。調べた内容を自分で忘れないように
する&人に話したい、という欲求から、現代ア
ート・サークルを立ち上げた。部員が2人いない
とサークルにならないので、幼馴染の学雷に
入ってもらい、毎回話し相手（というか聞き役）
になってもらっている。空気を読まずに話し続ける天然の押しの強さ
があるが、持ち前の明るさと可愛さで許されている。自分では恋愛感
情と気付いていないが、幼馴染の腐れ縁的な流れで学雷のことが好き。

簿流穂山 学雷
<small>ぼ る ぼ やま がく らい</small>

美美の幼馴染。腐れ縁で美美が立
ち上げたサークルに入ることにな
った。現代アートにそこまで興味
があったわけではないが、好奇心
と美美への恋心から話を聞くのが
実は嬉しい。照れ隠しでつっけん
どんな態度をとることもある。

はじめに

　現代アート作品を見たとき、皆さんはどんな感想を持ちますか？
「おしゃれ！」「かっこいい」「よくわからない……」「なんでこ
れが評価されているの？」などなどさまざまだと思います。
アートの見方は人それぞれですし、自由な感想を持つのは自然のこ
となのですが、そこからもう一歩踏み込んでみよう、というのがこ
の本です。

　振り返ってみると、学校で「美術」の授業はありましたが、体系
的にアート作品の見方や美術の歴史を学んだ経験がある人は少ない
のではないでしょうか。ましてや、現代アートとなると学ぶ機会が
もっと減るでしょう。
　もちろん絵を描いたりするのは楽しい体験ですし、創造するおも
しろさもありますが、鑑賞体験を深掘りする機会は少なく、美術館
に行っても有名なアーティストの作品を見て満足する、という人が
多い気がします。
　でも、それだともったいないのです。

　実は、現代アートは学べば学ぶほどおもしろいんです！
「あのムーブメントがあったから、このムーブメントが生まれて、
それが続いたから違うムーブメントが生まれて、さらにそのときの
社会はこんな状況で……」といったように、現代アートには歴史と
文脈があって、それを知っているだけでも作品への理解度が格段に
上がるのです。
　現代アートにとって、歴史や文脈はいわば"ルール"のようなもの
です。ルールを知らずにサッカーを見るのと、知ってから見るのだ
と、やっぱり知ってから見た方がおもしろい、という感覚に近いと
思います。

この本では、現代アートの歴史やムーブメントが生まれたきっかけ、後世のアーティストたちに影響を与えた重要な人物などを中心に紹介しています。読んだら人に話したくなるようなエピソードや、実際に作品を見て確かめたくなるような解説をできるだけ入れたつもりです。日本国内の美術館に収蔵されている作品も紹介しているので、もしかすると近くの美術館に行くと、実物が見られるかもしれませんよ。

　現代アートに関する入門書は他にもたくさん出版されています。できればこの本を読んだ後、別の現代アートの本も読んでみてください。ここに書いていることとは違う内容もあるかもしれませんし、ここに書いていないおもしろいアートの見方が載っているかもしれません。この本よりもっとおもしろい本に出会うかもしれませんし、ここに載っていないアート作品を見つけて好きになるかもしれません。
　知れば知るほどはまっていく、それが現代アートなのです。私たちはできるだけ多くの人に現代アートの魅力を知ってもらい、現代アートを好きになるきっかけになれると嬉しいです。

「どうせ難しいんでしょ……」と思って、続きを読むのをやめないでください。だまされたと思って、あと5ページくらい読んでみてください。きっと読む手が止まらなくなって、気付けば買っているはずです（そうなるように書いたつもりです。違かったら……ごめんなさい！）。

　さぁ、みみちゃん（美美）とがっくん（学雷）と一緒に、現代アートを基礎から学んでみましょう。

CONTENTS

第 1 章
現代アートの種
—— フォーヴィスム、キュビスム、ダダイスム

がっくん、現代アートに興味あるよね？

 唐突……！

 現代アートにハマってて、いっぱい話をしたいんだけど、がっくんに聞いてほしいなっ！

 なるほどね。現代アートって難しくない？　なんかよくわかんないっていうか、どういうこと？って思うんだよね。

 そうなの、知らないとそう思うよね。でも、実はちょっと勉強すると、なるほどそういうことかって、わかるようになったりするんだよ。

 マジで？

 そんなに難しく考えずに、ちょっとだけ話を聞いてみない？

 よし、じゃあ聞いてみる！

 現代アートを理解するために大事なのは、何と言っても歴史！

 歴史？

 そう。歴史こそ現代アートの基本中の基本なの。どうしてこの現代アートが生まれたのか、この現代アートってどういう作品なのか、それを知るためにはそれよりも前に作られた作品を知ればわかるってことが多いんだよ。

 昔の作品の影響を受けてるってこと？

 そんな感じ。時代ごとに色んなムーブメントや考え方があるん

だけど、次の世代がそれをアップデートしたり否定したりしながら繋がってるの。

 なるほど、だから歴史なのかー。

 そういうこと！

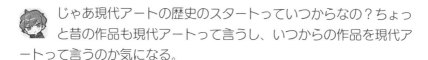 じゃあ現代アートの歴史のスタートっていつからなの？ちょっと昔の作品も現代アートって言うし、いつからの作品を現代アートって言うのか気になる。

 じゃあ最初は現代アートという概念が生まれるまでの話、いわば現代アートのスタートについて話すね。

 おねしゃす！

 そもそも19世紀とか20世紀の最初の頃って、芸術とは見たものを見たまま描くものとされてたの。だから見た目のうまさとか、いかに写実的に描くかが大事って言われてたんだよ。たとえば、こんなのとかこんなのとか。

クールベ《Still Life with asters》　　　クールベ《The Return from the conference》

 なるほど。うまいし、美術作品って感じ！

そんな中、世界を見るさまざまな方法を示すのがアートだろっ て考えたアーティストが新しいムーブメントを生み出したの。 それが印象派とキュビスム!

 モネとかピカソとかってこと?

 うん。俺たちの「目から見える世界をそのまま描くぜ! 対象 のまとう光や空気感をとらえたいぜ!」って言って描かれたの が印象派。

POINT! 　　　　　　印象派　　　　　　　

19世紀後半のフランス・パリを発祥として世界各地に広まっ た芸術運動。描写対象のまとう光や空気感をとらえようとし た。代表的な作家として、クロード・モネ、ピエール＝オー ギュスト・ルノワール、アルフレッド・シスレー、カミー ユ・ピサロ、ポール・セザンヌ など。

モネ《睡蓮の池に架かる歩道橋》

シスレー《川岸またはガチョウ
（Bprds de riviére ou les oies)》

 なんか空気感というか雰囲気出してくる作風だよね。

 最初美術業界の大御所から、技巧を欠いた、印象を表しただけ じゃんってボコボコに叩かれて、全然売れなかったらしいよ。

今じゃ展覧会があったら大勢の人が見に行く人気ジャンルって聞くのに……。

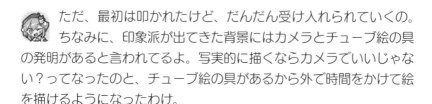 ただ、最初は叩かれたけど、だんだん受け入れられていくの。ちなみに、印象派が出てきた背景にはカメラとチューブ絵の具の発明があると言われてるよ。写実的に描くならカメラでいいじゃない？ってなったのと、チューブ絵の具があるから外で時間をかけて絵を描けるようになったわけ。

 なるほど。

 ルネサンス以来の伝統的な写実主義なんてクソ！ってことで始まったのがキュビスム。ピカソが代表作家だね。

POINT!　　　　　　　　キュビスム

20世紀初頭にパブロ・ピカソとジョルジュ・ブラックによって開始された、描写対象を幾何学的な図形に還元して描く絵画の潮流。ルネサンス以来の伝統的な写実主義に対して反旗を翻した。

キュビスムの作品を見られるおすすめ美術館
アーティゾン美術館　　東京都中央区京橋1-7-2

 ピカソとブラックが始めたキュビスムはこういう感じの絵。美術館で見たことあるんじゃない？

 あるある。だいたいこういうのはピカソって思ってたけど、他にも作家がいたんだ。

ちなみに、フォーヴィスムっていう動きも現代アートへの流れを考えるうえで重要って言う人もいるから押さえておくといいかも。

 フォーヴィスム？

 日本語に訳すと"野獣派"。

 なんか強そう……。

 1905年に芸術の都パリで開催されたサロン・ドートンヌでは、インパクトありまくりの激しい色彩表現が特徴的な絵がたくさん展示されたの。この展示を見た美術批評家のルイ・ヴォークセルがまるで「野獣（フォーヴ、fauve）の檻の中にいるようだ」と言ったことからフォーヴィスムっていう名前が付けられたってわけ。

POINT! サロン・ドートンヌ

毎年秋にパリで開催される展覧会で、秋のサロンという意味。今も毎年秋に開催されている。

 当時はなんじゃこれ、って感じだったんだ。

 うん。アンリ・マティス、ジョルジュ・ルオー、アンドレ・ドラン、モーリス・ド・ヴラマンクらが代表的な作家。激しい色彩表現や原色の使用は、ポール・ゴーギャンとヴィンセント・ヴァン・ゴッホから、色彩理論についてはジョルジュ・スーラやポール・シニャックから学んだと言われていて、色彩が持つ表現力を重視するようになったの。見たものをいかに正確に描くかっていう、再現性や写実性ではなく、感覚に直接的に働きかける色彩を重視した動きって感じ。

なるほど。たしかに写実絵画からかけ離れた表現だわ。

 印象派＋キュビスム、さらに言うとフォーヴィスムによって従来の絵画表現が刷新され、現代アートへの流れが生まれたって感じかな。
それぞれ作家の個性がばりばり出まくってるでしょ。

 たしかにうまいとかと全然違うよね。

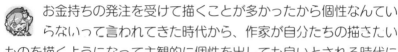 お金持ちの発注を受けて描くことが多かったから個性なんていらないって言われてきた時代から、作家が自分たちの描きたいものを描くようになって主観的に個性を出しても良いとされる時代になっていくわけ。

 アーティストが個性を出すっていうのは結構最近生まれた考え方だったのかー。

 これまでの描き方を踏襲せずに、既存の芸術を疑え！というのがここでは重要ポイントね。

 オリジナリティが大事になってきたね。

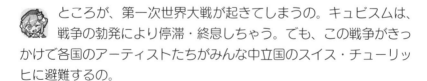 ところが、第一次世界大戦が起きてしまうの。キュビスムは、戦争の勃発により停滞・終息しちゃう。でも、この戦争がきっかけで各国のアーティストたちがみんな中立国のスイス・チューリッヒに避難するの。

 個性強めのアーティストたちが集合したってことか。

 そして起こったムーブメントがダダ。

 ダダって何なの？

13

当時チューリッヒに詩人のフーゴ・バルとパートナーのエミー・ヘニングスが開いたキャバレーヴォルテールっていう店があって、避難した芸術家たちは夜な夜な集まって気炎を上げていたんだって。

で、みんな口々に意見を言ってたの。

「理性があるからみんな合理的・合目的的に生きて対立が起きて、戦争になるんだよ！」
「戦争は嫌だ！」
「つまり理性なんてクソだ！」
「全部ぶっ壊す！」

みたいな感じ！

 激しいね……。

 中心人物のルーマニア出身で詩人のトリスタン・ツァラは、破壊と否定の大仕事をなしとげるのだと謳うダダ宣言1918を起草して、ここにダダイスムという芸術運動が始まるの。既存の意味や常識を疑い破壊する、それがダダ！

 なんかかっこいい！

 中二病感あるよね。ダダイスムに属する芸術家をダダイストと呼ぶんだけど、当時も、ダダかっけぇ、って人が世界中にいっぱいいたの。

 みんな中二病に一度はなるよね。わかる。

 がっくんは今もちょっと残ってるよね。

 ん？　なんか言った？

……で、ダダがすごいのは、ダダイスムに共感して自分でダダイストだと名乗れば誰でもダダイストになれるっていう自由度の高さ。「ダダ、かっけぇ！」と共感した人たちが各地で勝手に動き始めたの。

 フリーダム！

 ニューヨークダダ、ケルンダダ、パリダダ、ベルリンダダなど世界中でダダイストが誕生。

 めちゃくちゃ広がったんだ。

 しかも、芸術に関係なくても、既存の常識に反発したい、という思いがあればダダイストになれるの。日本だと高橋新吉っていう詩人がダダイスト。

 詩人もダダイストになれるんだ。

高橋新吉は上京したすぐあとに、「俺はダダを世界中に宣伝するのだ！」って叫びながらタクシー運転手をステッキで殴打し新聞沙汰になる、通称ダダイスト発狂事件を起こしたことで有名。

やべぇ……。

でも1923年に『ダダイスト新吉の詩』を刊行。そこに収録された「皿」という詩の最初の一行がすごくて、

《皿皿皿皿皿皿皿皿皿皿皿皿皿皿皿皿皿皿皿皿皿皿皿／倦怠》

って書かれてるの。皿洗いの仕事をしているときの心情を詩にしたらしくて、縦書きで皿が積みあがっている様子を漢字で表したんだって。

なんかかっこいい……！　今見ても斬新に思うってことは、当時はめちゃくちゃとんがってたんだろうね。

 うん。あの中原中也が超絶絶賛したらしいよ。

 やばくてすごい人ってことね。

 まぁそんな人たちが世界中でダダイストとして活動したんだけど、この中から現代アートの父が出てきます。

 ついに父が……！

 雑誌『DADA３』を見て衝撃を受けたフランシス・ピカビアとアンドレ・ブルトンがツァラをパリに招いたの。あ、ちなみにブルトンは今後も出てくるから覚えておいてね。で、そのあとピカビアがニューヨークに渡ってダダを伝えた相手が、マルセル・デュシャン。

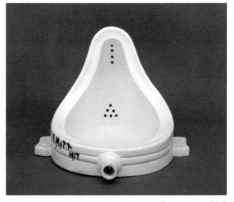

デュシャン《泉》

 デュシャンって聞いたことある！

 デュシャンが現代アートの父なんだよ。

 なんと……！

 デュシャンはかなり変わっていて、最初は油絵を描いていたのに途中から描くのを完全にやめて、レディメイドという手法を始めたの。

レディメイドって何……？

 レディメイドは、大量生産の既製品をその機能的な部分を取り除くことによって芸術作品に転用する手法。

 ん……？

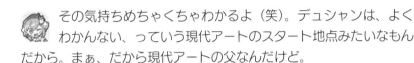 その気持ちめちゃくちゃわかるよ（笑）。デュシャンは、よくわかんない、っていう現代アートのスタート地点みたいなもんだから。まぁ、だから現代アートの父なんだけど。

 とりあえず最後まで聞きます。

 要は、売ってる商品を組み合わせたり、ただそのまま商品の機能を使わずに展示することで、これは芸術作品って言い切ったんだよね。

 言い切る勇気！

 最初はまったく理解されなかったんだけど、一躍レディメイドを有名にしたのが1917年の《泉》という作品なの。これは売り物の男性便器にR. Mutt って架空の作家のサインを入れたっていう作品。

 それ、作品なの？

 まぁ当時もそう思った人がほとんどだったのよね。デュシャンはこの《泉》をどんな人でも作品を出品できるアンデパンダン展に出したんだけど展示されなかったの。で、実はアンデパンダン展の審査員だったデュシャンは「誰でも出せるって言うてるのに、展示されへんのはおかしいやろ！」って抗議文を新聞に発表して騒いだわけ。

 自作自演……？

まぁそうとも言えるかも……。実際に揉めることまでも考えて行動していたみたいだし。おかげでバズったんだけどね。こういうセルフ・プロデュース的な側面は、今後話そうと思っているウォーホル、ハーストなどにも受け継がれた遺伝子だと言えるね。

目立つことも大事なのか……。

しかも最近の研究だと、実際「泉を作ったのはデュシャンではなく、女性作家だった」という説が強くなってるよ。当時社会的に女性が作家として活動するのが難しい時代だったから、このアイデアを持っていた女性作家がデュシャンに託したらしいの。現代アート史の男性中心主義を考えるうえでも注目されているよ。

でも、なんで便器の作品がそんなに大事なの？

一言で言うと、それまでのアートの概念を変えたから。芸術家なのに、誰が作ったかわからない既製品をアートとして持ってくるし、今までアートではないとされていたものをアートだって言うし、なんじゃそれってなるけど、それはつまるところアートとはそもそも何なのか、ということを問いただしたって意味でもあるわけ。
　ある作品がアートかアートじゃないかって誰が決めるのか。芸術家が認めたら？　美術館とか学芸員とか研究者とか権威ある立場の人が認めたら？　お金持ちの人が認めたら？

うーん、どうなんだろ……言われてみたらなんかどれもピンと来ない。

当時は権威が認めたらアート、っていうのが一般的だったんだけど、デュシャンは、「芸術を芸術たらしめるのは、作品の美しさでも大金や膨大な時間を使って描かれたという実績でもなく、芸術が芸術であるのは見る側が決めるもんだぜ」って言ったの。

見る側がアートって思ったらアートってこと？

 そう。

 たしかにそういう考え方もアリだし、結構今っぽいかも。俺も自分がアートって思ったらそれをアートって言うし。

 めちゃくちゃおしゃれな料理をアートってインスタにアップしたり、かっこいい写真をアートだわぁって言ったりするのも、全部見てる側がアートって思ってるからだもんね。

 そう考えるとデュシャンってマジで革新的な考え方だったんだ。

 芸術とは何かを人に考えさせるきっかけになったんだよね。何がアートで何がアートではないか、アートとアートでないものを分けるものは何なのか、芸術という概念を拡張させたと美学者のアーサー・ダントーは評価したの。いわば考えさせるきっかけになったってこと自体がアートだし、こういうコンセプトがアートだってこと。

 なんかゲームみたいだね。

 モノを作ることよりコンセプトを作ることの方が重要という構図を生みだしたってことだね。あと、美術とされていないものを美術の領域に持ってくる、という発想は現代アートを語るうえで大事なことで、これも現代アートを作っていくうえで基礎になる考え方。だからデュシャンは現代アートの父、と呼ばれるし、これが現代アートのスタートだって考える人が多いんだよ。

 たしかに現代アートってよくわかんないって思わせる基礎的な感じがする。

うまいとか下手とかそういうことが全然大事じゃないというか、そういう次元の話じゃなくなったわけ。

 なるほどなぁ。そのあとデュシャンってどうなったの？

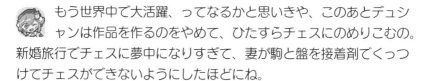 もう世界中で大活躍、ってなるかと思いきや、このあとデュシャンは作品を作るのをやめて、ひたすらチェスにのめりこむの。新婚旅行でチェスに夢中になりすぎて、妻が駒と盤を接着剤でくっつけてチェスができないようにしたほどにね。

 やりだしたらとことんなんだ。

 実際、結構強くなったらしいよ。「すべてのアーティストはチェスプレイヤーではないが、すべてのチェスプレイヤーはアーティストである」という名言を残してる。

 たしかにアートかも（笑）。

 こうして現代アートの歴史がスタートしたの。

 全然知らない世界だったけど、たしかに話を聞くとおもしろいね。

 サッカーでも野球でもまずはルールを知らないと試合を見ても楽しくないし、実際に遊ぶこともできないじゃない？

 うん。

 日本だと美術って趣味みたいに考えられてるからなのか、学校で美術史とか鑑賞方法を学ぶ機会ってそんなに多くないんだけど、実際学ぶと結構楽しめるものなんだよ。

なるほど。現代アートにもルールがあるわけね。

 で、そのルールの基本が歴史だと思うの。

 色んな作品を見るときに、こういう歴史があったからこういう作品が生まれたのか……とか考えられるってことか。

 そうそう。そしたら、現代アートってよくわからないって言わなくて済むかなって。
そんな現代アートの楽しみ方を話していければと思ってるから、がっくん、ちゃんと話聞いてね。

 はーい！

 じゃあ、がっくん、今日話した内容をまとめてみて。

 こう見えて真面目な俺は話を聞きながらメモったけど、これで合ってる？

今日のまとめ

チェス強い
自作自演
おじさん

上手なのが正義！　　個性を出して良い！　　常識を破壊しよう！　　現代アートの父
写実的 ➡ **印象派** ➡ **ダダイスム** ➡ **デュシャン**
　　　　　　キュビスム

＼ 現代アートのスタート的考え方 ／
「モノを作ることより、コンセプトを作ることの方が重要」

現代アートは歴史とルールを知ると面白くなる！

完璧！　がっくんが現代アートに興味を持ってくれたら一緒に美術館とか行けるもんね。

 それは、結構嬉しい、かも……。

 ん？　なんて？

 いや、何でもないよ。次の話も楽しみ！

第2章

現代アートの萌芽

—— シュルレアリスム

前回の話、どうだった？

現代アートってこうやって始まったんだ、って新鮮でおもしろかった。やっぱアート関係者はキャラ濃いめの人が結構いるんだなぁって感じ。

たしかにちょっと尖がった感じの人が多いよね。ちなみに、今回も濃い人が出てくるよ。

それは楽しみ！　今回はダダ以後の話になるってことだよね？

うん。ダダってどんなのだったか覚えてる？

理性的なものに反発し、あらゆる意味を破壊する、っていうやつだよね。中二感あって俺の好きなやつ。

さすが、がっくん！　類友的なやつは印象に残ってるね。

褒められてるのかな……。

ダダの話の中でアンドレ・ブルトンって人がいたの覚えてる？

ツァラをパリに呼んだ人だ。

そう。ただ、ブルトンは偶然に生まれるものを重視してどんどん突き詰めていったんだけど、やがてダダとは決別するの。

あらま……。でも、何で？

あらゆる意味を破壊するダダに対して、「頭では理解できない無意識の中に意味がある」とブルトンは考えたの。

なるほど……。でも、ブルトンの考え方も中二感あって好きかも。

 そんな中で出会ったのが精神科医のジークムント・フロイトの理論。無意識を発見し、人間の心の中には抑圧された自分では知覚できないものがある、と主張していたフロイトの考えに強い影響を受けて、1924年にパリで「シュルレアリスム宣言」を出すの。

 シュルレアリスムって聞いたことある！

 日本でも結構人気あるからね。

 聞いたことあるけど、正直よくわかんない……。宣言でどんなことを宣言したの？

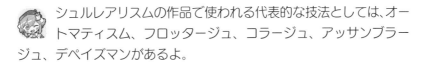 宣言には「シュルレアリスムは、それまでおろそかにされてきたある種の連想形式のすぐれた現実性や、夢の全能や、思考の無私無欲な活動などへの信頼に基礎をおく」と記されているの。つまり、現実には姿を見せていない普段抑圧されている無意識を重視するっていうこと。たとえばミシンとこうもり傘のように現実的にはまったく無意味であっても、無意識の中に重要な意味が潜んでいるかもしれない、と考えたんだよ。だからシュルレアリスムの作品は、理性や意識では到達できない無意識や夢を芸術として表しているの。

 だから不思議な印象を受けることが多いのか……。

 シュルレアリスムの作品で使われる代表的な技法としては、オートマティスム、フロッタージュ、コラージュ、アッサンブラージュ、デペイズマンがあるよ。

 覚えておいたら自慢できそう。

オートマティスムは1919年からブルトンが仲間たちと実験していた手法で、シュルレアリスム運動の主要な方法論とされたものなの。「シュルレアリスム宣言」によると、「心の純粋な自動現象であり、それにもとづいて口述、記述、その他あらゆる方法を用いつつ、思考の実際上の働きを表現しようとくわだてる。理性によって行使されるどんな統制もなく、美学上ないし道徳上のどんな気づかいからもはなれた思考の書き取り」とのこと。

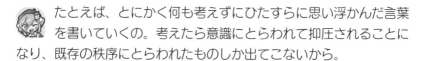 難しい言い方だね……。具体的にはどういうこと?

たとえば、とにかく何も考えずにひたすらに思い浮かんだ言葉を書いていくの。考えたら意識にとらわれて抑圧されることになり、既存の秩序にとらわれたものしか出てこないから。

 そう言われると簡単そうだけど、考えないっていうのは逆に難しそう……。

フロッタージュはいわゆる写し取り。でこぼこした表面に紙を置いて鉛筆などでこすることによって形状を写し取るの。
　コラージュは聞いたことあるんじゃない? さまざまな素材を切り抜いて張り合わせたりして組み合わせる技法で、アッサンブラージュはコラージュの立体版。

このへんはやったことある! 学校の美術の授業で葉っぱを鉛筆でこすったりしたもん。

デペイズマンは、あるものを本来の文脈から引き剥がして別の文脈に置きなおしたり、ある複数のものをそれぞれの本来の文脈とは異なる文脈において結びつけたりすることによって、違和を生じさせる手法。

 また難しくなったぞ……。

説明すると難しいけど、空中に浮かんでいるりんご、とか現実ではあり得ない状況を作り出すやり方のことだよ。

 なるほど、具体的に言われるとわかりやすい！

 これらの手法はシュルレアリスムの登場以前から存在してたんだけど、シュルレアリスムの作家たちはとりわけ積極的にこれらの手法を活用して無意識をえぐり出そうと試みたんだよ。

たしかに、どれも自分の意図でコントロールできない要素を含んでるもんね。シュルレアリスムの作家はどんな人がいるの？

 まずはマックス・エルンスト。ケルン出身で、最初はケルンダダのメンバーだったんだけど、その後シュルレアリスムの作家として活動して、コラージュやフロッタージュなどシュルレアリスムの手法を駆使した作家として有名。国内だと横浜美術館や国立西洋美術館に作品が収蔵されてるよ。

マックス・エルンスト《白鳥はとてもおだやか・・・》

日本でも結構作品を見れる作家なんだ。

次はマン・レイ。アイロンの底に多数の釘を打ち付けた1921年作の《贈り物》などレディメイド作品を制作する一方、写真作品もたくさん残した作家。シュルレアリスム作家や作品の写真を多く撮っていて、シュルレアリスムの軌跡を記録した存在としてもとても重要なの。

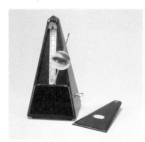

マン・レイ《永遠のモチーフ（不滅のオブジェ）》

27

マン・レイって聞いたことあるなぁ。

 日本でも定期的に展覧会が開かれたり、企画展の中で紹介されたりしてるからね。

 　3人目はルネ・マグリット。デペイズマンの手法を多数活用したことで知られてるよ。さまざまな物体が通常とは異なる場所に置かれたり、浮遊してたり、通常とは異なるサイズで描かれていたりする絵を描いたの。
　あと、パイプの絵の下に「これはパイプではない」という一文が付された《イメージの裏切り》（1929年）は多数の哲学的議論の対象となり、ミシェル・フーコーらフランス哲学の哲学者などによって、さかんに論じられたの。

 パイプの絵なのに、「これはパイプではない」って、どういうこと……？

 フーコーは、原理①「言語記号と造形的要素のあいだの分離」と原理②「類似と肯定＝断言との等価性」が古典絵画の孕む緊張を作り出していた二つの原理だと考えた。そのうえでマグリットがしたことは、これらの原理を転覆すること。すなわち、原理②を転覆した同質性という原理を確保することなしに、原理①の転覆をした言語記号と造形的要素を結びあわせることだと主張したの。

 まーーーーーったくわかんない。

 だよね……これはめちゃくちゃ難しいから、私も正直よくわかっていない部分もあるんだけど、頑張って嚙み砕いて説明するね。

 おねしゃす！！

パイプの絵と「これはパイプではない」という文字が描かれていると人間は勝手に絵と文字を結び付けて頭の中で考えてしまうよね。

 うん、そりゃ当然そうなりますな。

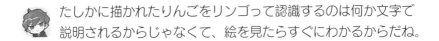 近代絵画は言語と画像をまったく異なるものだと考えてきたの。言語による説明を画像から排除して、その代わりに画像の外部に存在するものとしてタイトルなどで説明したわけ。目で見て、「あ、これはりんごに似てるからリンゴだな」って似ていると感じることだけで断言してきたの。

 たしかに描かれたりんごをリンゴって認識するのは何か文字で説明されるからじゃなくて、絵を見たらすぐにわかるからだね。

 なのに、マグリットの作品ではあたかも古代の表意文字のように文が画像に侵入しているの。マグリットはそれが何に似ているかと言葉で説明しようとするこれはパイプであるという言説をパイプらしきものである画像と切断したってこと。

 わかったようなわからないような……。

 難しいよね……。

 まぁでもすごい哲学者も批評対象にする価値があるほど革新的な作品だったってことよね？

そうそう！

シュルレアリスム作家ではぶっ飛んだ人はいなかったの？

シュルレアリスムと言えば、という作家をまだ一人残してるよ。

誰だろ……。

 それが、サルバドール・ダリ！

 ダリ、聞いたことある！

 かなり有名だからね。溶けたみたいな時計の絵、見たことある人も多いはず。

 あー、この絵の人か。

 偏執狂的批判的方法と呼ばれる独自の手法で描かれた絵画は抜群にうまいし、魅力的だよね。夢や妄想などの錯乱状態で連想されたイメージを客観視し、認識可能な状態にする方法で、これはダブルイメージを使った作品が多いの。

ダリ《記憶の固執》

 だまし絵っぽいテイストだね。

 あと、《目覚めの直前、柘榴のまわりを一匹の蜜蜂が飛んで生じた夢》とか、《"ポップ、オップ、月並派、大いに結構"と題する作品の上に、反重力状態でいるダリを眺めるガラ、その画面には冬眠の隔世遺伝の状態にあるミレーの晩鐘の悩ましげな二人の人物が認められ、前方にひろがる空は、全宇宙の集中するペルピニャン駅のまさに中心で、突如としてマルトの巨大な十字架に変形するはずである》とか、長すぎるタイトルでも知られてるよ。

 癖がすごすぎる……！

あえて意味を持たないような組み合わせを狙ってつけていたとも言われているよ。

 ダリってどんな人だったの？

 まぁ天才というか奇才というか……。アートの歴史の中でも屈指のキャラが濃いアーティスト。スペインのカタルーニャ地方のフィゲラス出身で家は結構裕福だったみたい。もともと女性恐怖症だったんだけど、友人で詩人のポール・エリュアールの妻ガラと出会って一変、ダリより10歳年上で経験豊富なガラの虜になったの。

 年上の魅力はたしかにあるよね。

 ……。

 ってテレビで言ってた。

 あ、そう。

 ほんとだって……。で、ダリはそのあとどうなったの？　続けて続けて！

 ガラはめちゃくちゃ積極的な女性で、ガラもダリの才能に惹かれていたから、結局エリュアールと離婚してダリとくっつくの。

 なんと……！

 ガラを聖母に見立てた宗教画を連作したり、ダリにとってガラはミューズであり、支配者であり、またマネージャーでもあったんだよ。

 固い絆で結ばれてたんだね。

うーん……。

 うーん、なの?

 ガラは奔放でダリ以外の男と浮気をするんだよ。

 じゃあダリとは別れたってこと?

 いや、そうでもなくて……。ダリにとってガラはかけがえのない存在で、離婚することなく最後まで一緒だったし、ガラが亡くなるとめちゃくちゃ落ち込んで引きこもって、やがて制作もやめちゃうの。

 複雑な関係だったんだ……。

 ちなみに、あの溶けた時計は、キッチンでガラが食べていたカマンベールチーズが溶けていく状態を見てインスピレーションを得たんだって。

 ダリにものすごく影響を与えた女性だったのかー。

 ダリは突飛な行動でも有名で、講演会に潜水服を着て登壇したけど、酸素供給がうまくいかず死にかけたり、象に乗って凱旋門を訪れたり、リーゼントヘアと称してフランスパンを頭に括りつけて取材陣の前に登場したり、マスコミに多くのネタを提供したの。

 やばい人だと思われるよね……。まぁ、でも絵の才能がすごいから、変な行動も天才だから仕方ないって思われるのかな。

 しかもダリは、「天才になるには天才のふりをすればいい」とか、「毎朝起きるたびに、私は最高の喜びを感じる。サルバドール・ダリであるという喜びを」とか、記憶に残るセリフを言うんだよね。

中二感があふれてる……。大人になったら黒歴史って呼ばれる やつだけど、ダリは大人になってからこんなことやってるんだ もんね……。やべぇ……。

 こういうところを見てると変人なのかと思われるけど、実は親 しい友人の前では非常に繊細で気配りの行き届いた常識人だっ たらしいの。意図的に自分のキャラを作る、っていうセルフプロデュ ースの一環だったのかも。自分の見せ方を意識しまくっていたという 点では、デュシャンの後継者と言えるかもね。

 すごい才能があって、変な行動してたら、天才だから仕方ない なぁ、って妙に納得する。

その気持ちわかる（笑）。

POINT! 　　　　美術館に行こう

横浜美術館：神奈川県横浜市西区みなとみらい3-4-1※

バーバラ・クルーガー、マックス・エルンストなどの作品を所蔵。7つの展示室のほか、11万 冊を超える蔵書がある美術情報センターやワークショップを行うアトリエも。 ※2024年3月14日まで休館予定

DIC川村記念美術館：千葉県佐倉市坂戸631

マーク・ロスコなどの作品を所蔵。20世紀美術に主眼を置いたコレクションに、作品にふさわ しい建築、豊かな自然環境と、「作品」「建築」「自然」の三要素が調和した美術館。

諸橋近代美術館：福島県耶麻郡北塩原村大字桧原字剣ヶ峯1093番23

アジアで随一のダリ所蔵美術館。美術館の窓からは壮大な磐梯山の噴火口や四季折々美しい自 然が織りなす庭園を望むことができ、美と自然の競演を堪能できる空間がある。

セゾン現代美術館：長野県北佐久郡軽井沢町長倉芹ケ沢2140

マン・レイ、ワシリー・カンディンスキー、マルセル・ デュシャンなどの作品を所蔵。80年代、90年代、00年代 と、歴史的な流れで作家の軌跡を追うことができる。

現物を見ると もっと面白いよ！

戦争で感情とか色んなものが抑圧されていた時代だったから、抑圧されていたものを無意識に表出させるというシュルレアリスムは多くのアーティストに受け入れられたの。シュルレアリスムの影響を受けた作家はかなり多いと言われているよ。

 日本でも結構作品を見れる美術館が多いんだね。そんな影響力の大きかったシュルレアリスムはその後どうなっていくの?

 第2次世界大戦でフランスがドイツに占領されると、世界中にアーティストが逃げていき、世界に広がっていくの。

 なるほど。

 特にメインになっていたアーティストはアメリカに移り、これ以降ムーブメントの中心はアメリカに移ったの。戦争は美術の中心がアメリカとなったきっかけとも言えるかも。戦争が終わると、抑圧された環境がなくなり、経済の中心となったアメリカでは巨大化したキャンバスに描かれた大型の絵画作品が数多く出回り売れるようになっていくんだけど、そこで出てきたのが抽象表現主義。

 それが次回のテーマになるわけね。

 うん! シュルレアリスム自体は続いていたんだけど、花形は抽象表現主義に移っていって、ブルトンが1966年に死ぬと、シュルレアリスムは終わったの。

 なるほど、ダダのときもそうだったけど、アートのムーブメントも戦争とか世界的な動きとも関わるんだね。

 うん! 世界史と一緒に勉強すると、より楽しめるかもね。

 今回も勉強になったし、美術館に行って作品を見たくなったわ。

じゃあ、がっくん、今日話した内容をまとめてみて！

 これで合ってるかな？

今日のまとめ

第一次世界大戦 ──────────────→ 戦争終結
抑圧された時代 ──────────────→ 次のムーブメントへ…

ダダ ➡ シュルレアリスム ➡ 抽象表現主義
　　　　「無意識の中に意味がある」

技 法

オートマティスム　　何も考えずにひたすら書く…。意外とムズい……。

フロッタージュ　　写し取り

コラージュ　　素材を組み合わせる

アッサンブラージュ　コラージュの立体版

デペイズマン　　なんでこれがこんなところに!?　みたいなやつ

代表的な作家

- マックス・エルンスト
- マン・レイ
- ルネ・マグリット

哲学はムズい…
でもおもしろい！

- サルバドール・ダリ　　溶けた時計の人
めっちゃ絵が上手い。
ガラに夢中！
キャラが立ってる！
でも常識人だったという説もアリ

セルフプロデュース!?

 完璧！

 だんだんおもしろくなってきた！

35

第 3 章
現代アートの成長
—— 抽象表現主義

次は、現代アートがアメリカで大きく成長したという話をします。

 抽象表現主義って言ってたよね？

 シュルレアリスムの次に一大ムーブメントになったのが抽象表現主義！

 抽象的で何かを表現してる作品ってこと、かな……？

カンディンスキー
《インプロヴィゼーション35》
(improvisation35)

 抽象表現主義という言葉が初めて使われたのは1919年で、カンディンスキーに対してと言われているの。ただ当時描かれた抽象画は丸とか三角とか特定の形態が残っていることが多いんだけど、今回話したい抽象表現主義はこれをさらに推し進めた作品についてだよ。

時代によって抽象画は変化してきたんだ。

 いわゆる抽象表現主義の特徴は、形態にとらわれずに、不定形な線や面が多用されていて、自分の内面にある感情などを全面に押し出して描かれていること。でも激しい筆遣いで感情をぶつける作品もあれば、静謐な雰囲気をたたえる作品もあって、多彩なの。あと、大きな作品が多いよ。

なんで抽象表現は広がったの？

 世界大戦がきっかけかな。戦争を避けてヨーロッパからアメリカに来た作家が、若い作家たちに抽象画を広めたの。

戦争で色んな人が国外に出て、そこで何か生まれるっていう定番のやつね。

 アメリカに来た作家で有名なのは、アーシル・ゴーキー、ハンス・ホフマン、ジョセフ・アルバースの3人。特に、自分で絵画学校を設立したホフマンとさまざまな機関で美術教育に関わったアルバースの影響は大きかったの。

 第一次世界大戦以降はアメリカ中心になっていくんだね。

 第一次世界大戦後、戦後恐慌になるとニューディール政策の一環で、アメリカではアーティストを集め、壁画を描かせてお金をあげるプロジェクト、連邦美術計画を行ったの。ジャクソン・ポロックら、その後に抽象表現主義のムーブメントを担うアーティストたちの多くは若い頃にこの計画に参加し、大きなものに描く、という経験を積んだから大きい作品が多いんだよ。

 国の政策もアートのムーブメントに影響してくるんだね。

 あとシュルレアリスムの影響もあったんだよ。

 作品を見ると全然違うように見えるけど？

シュルレアリスムってどういう考えで始まったんだっけ？

普段抑圧されている無意識を重視して、理性や意識では到達できないものを探ろうとしてたね。

そうそう。抽象表現主義も内面を表に出すわけで、無意識に抑圧された内面を描いてきたシュルレアリスムと通じる考え方なの。だから、作品の見た目は全然違っていても比較的受け入れられる土壌ができてたってわけ。

シュルレアリスムと繋がってるんだ！

 さらに言うと、シュルレアリスムのオートマティスムの影響も指摘されている。

 どんなところが影響を受けてるの？

 構図をしっかりと決めて、理性的に書いていくんじゃなくて、身体のリズムに合わせながら、ある意味本能や欲動のままに描いていくところ。ちなみに、あとで紹介する抽象表現主義を代表するジャクソン・ポロックは、自身のアルコール依存症の治療のため、精神科医にかかっていて、自らの創造の源泉が無意識にあることを繰り返し語ってるの。

 なるほど。

 抽象表現主義は色んなパターンがあるんだけど、主に「アクションペインティング」と「カラーフィールドペインティング」の2種類に分類されることが多いよ。

 それぞれどんな作品なの？

 じゃあ具体的に作家を紹介しながら説明するね。

 おねしゃす！

 まずアクションペインティングの代表格と言えば、ジャクソン・ポロック。ポロックは、画面全体を「ドリッピング」や「ポーリング」という身体的アクションで制作したことで有名だよ。制作の痕跡や残った筆致が画面を埋め尽くしていて、これを美術批評家のクレメント・グリーンバーグは「オールオーバー」と呼んで評価したの。

ドリッピングとポーリングって何？

 ドリッピングは筆から絵の具をしたたらせて描く手法。ポーリングは流し込って言って、絵の具を画面の上にこぼすように広げる手法だよ。

POINT! ドリッピングとポーリング

ドリッピング

ポーリング

 あー、学校の授業でやったような気もする！

 身体的なアクションを絵画制作のプロセスに持ち込んだのがポロックなの。コントロールしようとする部分とどうやってもコントロールできない部分がせめぎ合っていて、緊張関係がポロックの絵画には保持されているよね。

 な、なるほど……。難しいけど、自分で制御できるところと制御できないところが作品の中にあるってことでいいのかな？

 うん、そういうこと。ポロックの作品は「誰でも描けそう」とボロクソに言われたんだけど、「作品の内容よりアーティストが描くときにいかにキャンバスと格闘したかわかるのがイケてる！」と批評家のハロルド・ローゼンバーグが評価したの。その後、「アク

ションペインティング」と呼ばれて、その勢いや迫力で人気が出始めたってわけ。ローゼンバーグは、ポロックの絵は創作行為の残留物でしかなくて「創作という行為やその過程にこそ芸術性が宿る」と主張したの。

 たしかに、言ってることはわからなくもない……。作品を作ってるときがすごいってことだよね。っていうか、さらっと新しい批評家の名前出て来たけど、なんか名前似てない？

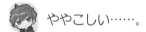 クレメント・グリーンバーグとハロルド・ローゼンバーグね。

たしかに、ややこしい……。

 別にアートを見るのに名前を覚える必要はないけど、なんか知ってたらかっこいいし、人に話すときに批評家の名前を言えたらドヤれるからおすすめ。

たしかに。覚えておこうっと。

 ポロックの作品は実際に見ないと伝わりにくいかもしれないけど、見たら何かすごい、って感じると思う。日本だと富山県美術館などが所蔵しているので是非！

いつか行きたいな。

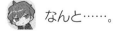 ポロックは酩酊状態で愛人と一緒に車に乗っていたときに事故を起こして死亡。晩年は自分が確立した表現を超えることができなくて、スランプで精神的に辛い時期が続いていたの。

なんと……。

ポロックの死後、配偶者のリー・クラズナーがオールオーバー

絵画の初層には具象的な形が描かれていると発言したの。映像作家の
ハンス・ネイムスの撮影した写真や映像を解析し、そのことを実証し
ようとした研究者もいて、現在では、いくつかのポロック作品の初層
に絵文字や記号が隠されていることがわかっているの。そういった具
象表現がポロックにとって重要な意味を持つと考えられていて、現在
も研究対象となっているんだよ。

 いまだに研究されている作家なんだ。

 ちなみに、リー・クラズナーも重要な作家。MoMAで回顧展
が開催された数少ない女性アーティストの一人なの。

 へぇー、リーっていうことはアジア系なの？

 クラズナーはウクライナからの移民の子供で、本名はレナ・ク
ラズナー。リーは一般的には男性名なんだけど、レナではなく
あえてそういう風に自分を呼ばせたのは、白人男性中心のアート界で
生きていくための手段だったと言われているの。

 名前にもそんな意味があったんだ……。

 クラズナーは「ポロックのまね」という否定的評価につねにさ
らされながら、1950年代半ばのポロックの死も乗り越え、ポ
ロックのパートナーからリー・クラズナーとして認知されるようなスタ
イルを確立していったの。1940年代からの作品は決まった一つのスタ
イルに落ち着くことなく、大胆なスタイルチェンジを含むやり方で自
身のユニークな作風を模索し続けたっていう気概もすごいよね。

 たしかに！

 クラズナーも日本では知名度が低いけど、抽象表現主義を語る
うえで外せない作家だと思うよ。

2人目がカラーフィールドペインティングの代表格、マーク・ロスコ。

 ロスコって、めちゃくちゃ高い作家でしょ。テレビでこれいくらでしょう、みたいなクイズで出されたりする作品だよね。

 そうそう（苦笑）

 ロスコも実際に見ないと写真だと良さは伝わりにくいからねぇ。

 まぁ、たしかに写真見るかぎりだと、なんかぼわっとした色の絵だもんね……。

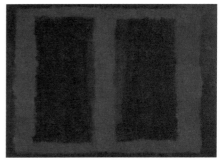

マーク・ロスコ《「壁画 No.4」のためのスケッチ》1958年
DIC川村記念美術館

 ロスコはユダヤ系の両親のもとにロシアで生まれ、反ユダヤ感情の高まりによりアメリカに移住、アメリカで活躍したの。最初はシュルレアリスム風の絵画を描いていたんだよ。スタイルが確立されたのは40代以降。1930年代半ばから、ポロック、デ・クーニングらと連邦美術計画に参加しながら、作品を発表。特に色彩の微妙な明度表現がかつてないもので評価が高かったの。

 じゃあ結構人気作家だったんだね。

 ただ、ロスコはこだわりが強くて、レストランの室内装飾を依頼されて30点もの絵を描いたのに空間が気に入らないから売らないと言って、前金を返して納品を拒否したこともあるの。

 なんと……。

60歳を過ぎてから自殺しちゃうんだけど、死後この連作は各美術館に分けて収蔵されたの。DIC川村記念美術館には、マーク・ロスコ専用のロスコ・ルーム が用意されていて、前述した30点の連作《シーグラム壁画》のうち7点があるよ。

 ロスコは何で評価されたの？

 ポロックのような激しい筆触ではなく、静謐、精神性の高い作品が特徴なの。だからこそわかりにくいんだけど……。大きな色面がかすかに重なり合い、深い奥行きがあって、作品の前にいると、すごく不思議な感覚に包まれるよ。

 なるほど。

 とにかく、ロスコは生で見るべき！　今度一緒に見に行こうね。

 お、おう……！　美美って急にドキッとすることぶっこんでくるよね。

 ドキッてするの……？

 まぁ、それは置いておいて……。

 クラズナーもそうだけど、世界的に女性アーティストの再評価が行われてるの。抽象表現主義の作家の中にも重要な女性作家がいるよ。

 女性が軽視されてたってこと？

 欧米・白人・男性っていうのが長らくアート業界を支配してきた人たちなんだけど、「それはおかしいんじゃない？」「過去の作家を再度見直すべき」っていう意見が増えてきてるの。

なるほど。

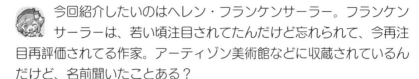 今回紹介したいのはヘレン・フランケンサーラー。フランケンサーラーは、若い頃注目されてたんだけど忘れられて、今再注目再評価されてる作家。アーティゾン美術館などに収蔵されているんだけど、名前聞いたことある？

 いや、初めて聞きました……。

 だよね。フランケンサーラーは「カラーフィールドペインティング」の重要な作家なんだよ。

 ロスコタイプってことね。どんなところが重要なの？

 歴史に残る新しい手法を発案したところ！

 歴史に名前刻んでる系なんだ。すごいね。

 フランケンサーラーが発案したのは、「ステイニング」っていう手法。下塗りをしていないキャンバスに薄く溶いた絵の具を染み込ませるやり方で、1952年制作の《山々と海（マウンテンズ・アンド・シー）》はステイニングによる最初の作例なの。このときなんと23歳。

 すごい！

 ポロックの作品を見て、キャンバスを床に寝かせて描くっていうやり方に興味を持って、この作品ができたらしいよ。

 制作のやり方はポロック側で、作風はロスコ側ってことか。

 フランケンサーラーはお父さんがニューヨーク州裁判所の判事

っていう、結構いい家出身で実力もあったんだけど、当時は女性っていうだけで活躍できない世界……。そんな中、付き合った相手が大物っていうこともあって知名度が上がったっていうのは、今の再評価の流れを考えるとちょっと皮肉かも。

 大物……？

 相手っていうのが、グリーンバーグ……！

 さっき出てきたあのグリーンバーグかー！　めっちゃ権威ってことだよね。

 そうなの。実力があってこそ、というのはあるけど、実際グリーンバーグが結構後押ししたことはフランケンサーラーを有名にした要因の一つだと言われているの。

 そうなんだ……。

 ちなみに、グリーンバーグと別れた後に付き合ったのが、ロバート・マザーウェル。マザーウェルも抽象表現主義の理論家でアーティストとして有名だよ。

 抽象表現主義に生きた人生みたいな感じがするね。

 実際、抽象表現主義が理論的に位置づけられ世界に広がったのは、クレメント・グリーンバーグの力が大きいの。グリーンバーグは、絵画なら平面性のように媒体ごとに異なる特殊性を探求することを芸術家の責務とする、モダニズム批評の観点から、まったく新しい色彩の表現が誕生したと評価したんだよ。

 アートの歴史って批評家が作品をどう評価するかが大事なんだね。

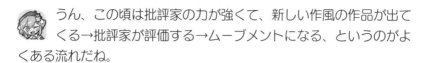

 うん、この頃は批評家の力が強くて、新しい作風の作品が出てくる→批評家が評価する→ムーブメントになる、というのがよくある流れだね。

抽象表現主義はこの他にもバーネット・ニューマン、ロバート・マザーウェル、クリフォード・スティルなど有名な作家がいっぱいいて、一大ムーブメントになっていくの。気になったら検索してみて。

はーい！

一方でムーブメントになるとどうしても商業主義的になっていくんだけど、抽象表現主義の影響を受けつつ、それに対する反発として出てきたのがパフォーマンスアート。

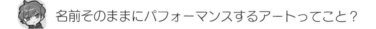 名前そのままにパフォーマンスするアートってこと？

そうそう、まさに。パフォーマンスアートの起源には、アラン・カプローのハプニング。1959年、カプローはニューヨーク・ルーベン画廊で行った展覧会《6つのパートからなる18のハプニングス（18 Happenings in 6 Parts）》で初めてパフォーマンスを見せたの。カプローはポロックの死後、「ジャクソン・ポロックの遺産」という追悼文を書き、自らの実践に対する深い影響関係を認めているんだよ。

 どんなところに影響を受けているの？

身体性を芸術実践の軸に据えたこと、かな。ポロックは身体全体を動かして絵画を描いているじゃない？　昔はどういう風に描いたかは重要ではなかったのに、ポロック以降はどのように描いたかも重要だとカプローは捉えたわけ。でも、ポロックが絵画というジャンルではやりつくしたから自分には絵画で新しいアートを示すことはできない、それなら別の方法を……と考えて、異なるやり方で芸術

に身体性を持ち込もうとした結果生まれたのがハプニング。

 パフォーマンスアートとハプニングは一緒？

 パフォーマンスアートっていう大きな枠組みの中にハプニングっていうジャンルがある、って感じ。

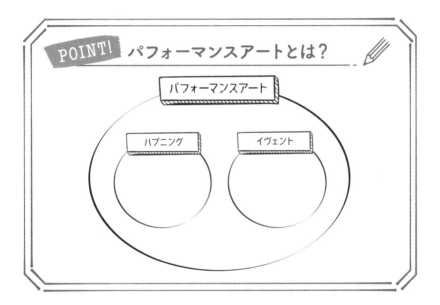

POINT! パフォーマンスアートとは？

パフォーマンスアート

ハプニング

イヴェント

 ってことは、ハプニングって呼べるパフォーマンスアートは何か定義があるの？

 ハプニングは、公共空間で偶発的ゲリラ的に行われる身体を用いた表現、と定義されることが多いよ。

 なるほど。でも、そもそも何がすごかったの？

 今だと当たり前すぎるかもしれないけど、それまでもダンスなど身体表現はあったものの、当時アートの文脈の中で物理的なモノじゃなくて、身体表現をアート作品として出したっていうのは超最先端で、カプローはその先駆者だったの。

たしかに今までのアート作品ってずっと何か具体的なモノがあったもんね。

抽象表現主義のブームも落ち着きを見せてたこともあって、ハプニングってめちゃくちゃ新しいやん！と多くの人に注目されて、ハプニングを行う作家が急速に出てきたの。

ムーブメントになったわけだ。

日本人だと水玉の作品で有名な草間彌生もアメリカで活動していた若い頃、ハプニングを多く行ったんだよ。全裸で体に水玉を描いて街中に出るとか、当時ハプニングの女王と呼ばれたらしいよ。

©YAYOI KUSAMA

あとで調べてみよっと！

パフォーマンスアートにはもう一つ代表的な動きがあって、それが「イヴェント」というパフォーマンスを中心とした実践を行った芸術運動、フルクサス。

ほぉ。

フルクサスはリトアニア生まれのジョージ・マチューナスがアメリカで結成。芸術家が自由に制作・発表できるユートピアを夢見たマチューナスは、組織としての帰属意識によって連帯するグループではなく、共通の関心を持ったアーティストの緩やかなネットワークを作ったの。

じゃあグループじゃないんだ。

うん、厳密に言うとグループじゃない。多国籍かつ領域横断を特徴とする個性的な面々が集った前衛的な芸術運動なの。ニューヨーク生まれの美術家アリソン・ノウルズ、イギリスの作曲家ディック・ヒギンズ、ニューヨーク生まれでヨーロッパで活動した美術家ジョージ・ブレクト、京城（現ソウル）生まれの美術家ナム・ジュン・パイク、日本からは、オノ・ヨーコ、靉嘔（あいおう）、武満徹、一柳慧など、ほんとに色んな人が参加したの。

 何か全員を束ねる共通項はあるの？

 フルクサスの作家は「イヴェント」と称される実践を行ったんだよ。

 イヴェントって今俺らが言うようなイベントってこと……？

 イヴェントは、スコアと呼ばれる指示書に基づいてなされる反復可能なパフォーマンスのこと。日々繰り返される日常行為を芸術に転化することを意図したものなの。

 ちゃんとした定義があるんだ。

 パイクの《ゼン・フォー・ヘッド》やオノ・ヨーコの《カット・ピース》が有名かな。

 どんな作品なの？

 《ゼン・フォー・ヘッド》はナム・ジュン・パイクが自らの頭を墨に浸し、それを筆のようにして紙に１本の直線を描いてるの。アジアの書にインスパイアされたパフォーマンス。

 体はってるなぁ……。

《カット・ピース》は、オノ・ヨーコが舞台の上に座り、観客はハサミを使って彼女の衣服を少しずつ切り取っていくように指示を受けるの。切られる/切る、見られる/見るっていうアーティストと観客の不均衡な権力関係を通して人間のなかに潜む暴力的な衝動や欲望を明るみに出したパフォーマンス。

 無抵抗な人の服を切るって、なんか嫌な気持ちになっていきそう……。

 さらにそれが若い女性アーティストによって演じられることによって、男性と女性の不均衡な権力関係とか女性アーティストに向けられる性的な欲動を含む視線も暴き出すという点で、フェミニズム的な要素をはらんだパフォーマンスとも考えられているの。

 いろいろ考えさせられる作品ってことか。

検索したら動画が見つかると思うから、見てみて。

りょ！　イヴェントはハプニングと違って偶然何かする、ってわけじゃないんだね。

そうなの！　ハプニングは偶然的で一回きりなので再現できないけど、フルクサスのイヴェントは指示書があるから、別の人も再現可能だし別の場所でも再現可能。

 本質が結構違うんだ。

うん。ただ身体表現という点では共通していて、ハプニングとフルクサスのおかげでパフォーマンスアートは美術史の中に定着したと言えるかもね。

たしかに、今だとダンス的な作品が現代アートって言われても
そんなに驚かないもんね。

 現代アートはあるムーブメントが起きるとそれに対抗・反発す
る逆の方向のムーブメントが起きる傾向があるっていうのは覚
えておくと良いかも。あらゆる意味をぶっ壊す！（ダダ）→壊すだけじ
ゃダメ、無意味の中に意味がある（シュルレアリスム）、抽象表現主
義はすごい！アートが売れる！→そんな金になびいた作品ばかりはお
かしい（ハプニング）、みたいな。

 たしかに！　これを覚えておくと次どうなるか予想したりする
のがおもしろくなるね。

 抽象表現主義は色彩がすごいって人気だったじゃない？　じゃ
あその反動はどうなると思う？

 色を使わないで作品を作ってやるぜ、的なこと？

 正解！　色彩がすごい！っていう抽象表現主義がやりつくされ
た結果、極力色を使わず作家性もそぎ落としたら何ができるの
か、と追求して生まれたのがミニマリズム。次回はその話をするつも
り。

 りょーかいですー。いやぁ勉強になったし、美術館に行って作
品を見たくなったわ！

 じゃあ、がっくん、今日話した内容をまとめてみて！

 これで合ってるかな？

今日のまとめ

影響 大

抑圧された無意識を
シュルレアリスム → **抽象表現主義** --→ **ミニマリズム**

不定形な線や画で感情を表現
アメリカ連邦美術計画→この経験ででかい作品を作れるようになった！

身体的アクションで絵画制作

アクションペインティング

ドリッピング　ポーリング

動のポロック

全く新しい色彩の表現

カラーフィールド ペインティング

商業的になっていく…

静のロスコ

── パフォーマンスアート ──

ハプニング
始　カブロー　　有名作家　草間彌生
物理×→身体表現
再現不可能

イヴェント

フルクサス
指示書があり
再現可能

 完璧！

 ふふふ！

 だんだん現代アートのおもしろさがわかってきたんじゃない？

 うん、ナニコレ意味わかんない……っていう感じから、なるほどねーって思えることが増えてきた気がする。

 でしょ！　次のムーブメントの話も楽しみにしててね。

 はーい！

第 4 章 現代アートの発展

—— ミニマル・アート、コンセプチュアルアート、ランド・アート

今回はミニマル・アート、コンセプチュアルアート、ランド・アートについて話したいです！

 どれも聞いたことがないアートだわ。

 今まで話してきた作品とは結構違うから、覚悟しててよ！

 え、なんか怖い……（笑）。

 なんでこんなこと言うかっていうと、何でこれがアートなの？って言われる作品が多いから。

 わかりにくいんだ……。

 うん。でも、逆にアートの歴史を知るとよくわかると思うんだよね。

 じゃあ、よろしくお願いします！

 抽象表現主義の回で話したけど、色彩の探究がやりつくされた結果、極力色を使わず、作家性をそぎ落とした作品が出てくるの。それが、ミニマル・アート。

 なるほど。地味目ってことなのかな……？

 たとえば、こういう作品とか。

ドナルド・ジャッド
《無題》

たしかにこれだけ見ると、なにこれ、ってなるね……。箱が並んでるだけ？

まぁ、そう思うよね。実際、モダニズムの批評家マイケル・フリードから芸術の堕落だ、ってクソミソに言われたんだ。

何が堕落してるの？

フリードは、「真の芸術とは、感性的、即時的にその美しさや良さがわかるものでないといけない、芸術の自立性が必要だと考えられていたのに、ミニマル・アートはこれって何なの？と鑑賞者が考えないとダメなわけで、人の思考を必要とする美術なんておかしい」って言ったの。ちょっと専門用語を使うと、演劇性が入ってきているのが堕落だって言ったんだよ。

演劇性？

演劇の空間と同じように、芸術作品と鑑賞者が関係して成立している状況を指す言葉だね。

まぁ、たしかに、これだけ見てもなにこれってなるもんね……。

ちなみに、抽象表現主義でも出てきたモダニズム批評家のグリーンバーグは、「フォーマリズム」に対して最初に徹底した攻撃を行って、デュシャンとダダの作品は劣悪な質であると非難したんだよ。モダニズムにとっては、フォーマリズム、つまり形式こそが重要だったんだよ。

わかりやすくて形式的なのがいい、ってことだったんだね。

でもロザリンド・クラウスっていう批評家が、クソミソに言うだけでなくて、ミニマル・アートを「芸術と認めてきちんと議

論すべきじゃないか」と言い出したの。

 おぉ、新しい批評家が出て来た！　クラウスは何でそんなこと言い出したの？

 それは、同じような傾向を持つミニマル・アートの作家が結構出てきたから。ミニマル・アートの作家は自らをミニマリズム、ミニマル・アートと名乗ってまとまった集団になることはなかったんだけど、同じような傾向の作家が1960年代後半くらいから偶然でてきたの。それだけ作家がいるのにクソミソに言って芸術と認めないのはさすがにおかしいでしょ、と考えたわけ。

 なるほど。

 クラウスは「拡張された場における彫刻」という副題を持つ論考「彫刻とポストモダン」で、彫刻の概念自体を拡張し、ミニマリズムを理論的に考察する場を切り開こうと試みたの。

 急に難しくなってきたぞ……（笑）。

 簡単に言うと、建築や風景という彫刻が置かれる場所も含めて作品を考えたの。で、ミニマル・アートは立体物が多かったから、彫刻と同じように考えることもできるってわけ。

 まわりの環境も含めて作品を考えるってことは、作品がそれだけで成立する自律性はなくなるね。

 うん。クラウスは「モダニズムの自律した彫刻概念はもう無理で、風景や建築といった周辺も含めた彫刻概念を検討するのが妥当でしょ」、と言い出したの。ちなみに、こういうモダニズムの次の考え方をポストモダンっていうんだよ。こうした拡張していく考え方はどんどん広がっていって、美術批評には美学だけではなく、哲学

や精神分析など別分野の知見も入れて批評すべき、ってなっていくの。

 グリーンバーグとかフリードとはまったく違う主張だったんだ。

 まったく違う主張なのに、クラウスはグリーンバーグの弟子で、フリードの学友。

 え、グリーンバーグが先生だったってこと？

 そこがおもしろいところよね。ただこの頃はグリーンバーグが批評家として影響力を持ちすぎてて、結構嫌われていたっていうのもあるかもね。

 そんなに？

 うん。たとえばフランツ・クラインって抽象表現主義の作家が日本の書道に影響を受けているって言ってたんだけど、グリーンバーグは自分が作ってるわけでもないのに「そんな影響はない」と批評したの。そうしたら作家もグリーンバーグに従うという逆転現象が……。

 変なの……。

 グリーンバーグは抽象表現主義という「芸術の自立性」を守りたくて他の何かの影響を受けていたことを認めなかったのではないかと言われてるけどね。

 すご……。

 さらに、グリーンバーグはミニマル・アートと今度紹介するポップアートについて、「低レベルの楽しみ」って言ったの。その理由が、「大衆のための芸術なんか低俗！鑑賞者に判断できる余地

のあるものはクソ。芸術の良さは、作品を見てみんなビビッとくる（知覚的に明晰な）もんだ」っていうエリート主義的な意見だったのも嫌われた理由かもね。

 言うねぇ……。

 そして、ついにはクレンバッシングという言葉まで出てくるの。

 クレンバッシング？

 クレメント・グリーンバーグへのバッシングで、クレンバッシング。

 そうなんだ……。まぁ自分たちが気に入ってるものを低俗だって言われたらいい気持ちはしないかも。

 今回話したいミニマル・アートもコンセプチュアルアートもランド・アートも、全部モダニズムへのアンチテーゼと言えると思うよ。

 つまり、当時からするとめちゃくちゃ最先端だったわけね。

 そういうこと。ミニマル・アートの作家はダダや抽象表現主義の作家たちと比べると、インテリタイプが多かったから理論先行型で、「なるべく装飾的なものをそぎ落とす」とか制作意図を積極的に発信してたの。批評家とちゃんと対決できるだけの理論があったっていうのも、アンチテーゼをやり続けられた理由としてあるかもね。
　たとえば、ダン・フレイヴィンは「われわれは芸術のない方向に押し進んでいる。装飾に対する心理的に冷淡な共通の感覚。誰もが知っている、中立で見ることの喜び」って言ったの。

 たしかに、理論がないと何でこれが作品なのかわかんないよね。

基本的には抽象表現主義へのアンチテーゼって感じかな。比べてみると色VS単色、みたいな対比があるよね。

たしかに。あとミニマル・アートは何かかたい……。工業製品的というか、感情が入ってないというか。

まさに！　ちょっとわかってきたね。

先生、ありがとうございます！（笑）

うむうむ。

ミニマル・アートにはどんな作家がいたの？

まずはドナルド・ジャッド。ジャッド自身は、ひとくくりにできるほど単純ではないからミニマル・アートやミニマリズムという言葉を拒否したんだけど、やっぱりミニマル・アートと言えばというほど代表的な作家だね。金属などの産業素材を使い、形態的にシンプルで抽象的な彫刻を制作したの。旧来の評論家からは「なんやねん、これは」と言われたけど、目新しさもあって賛否分かれたの。

いきなりこんなの見せられたら、ねぇ……。

ジャッドは一度決めた作風を生涯に一度の変更すら許さない、頑固でストイックな作家としても有名だよ。

作品からなんか伝わってくるわ……。

ジャッドの作品を見る場合は、どうしてこういう作品が生まれたのか、という背景がわかって初めて価値がわかると言えるよね。
　ジャッドは絵画からスタートし、平面性の探求を放棄して、3次元空間性の探求に移行した作家なの。だから立体。ミニマル・アートが

一般にやろうとしていたことは、作品とそれを取り巻く環境の関係性を極限まで思考することだと思うんだよね。

 環境ってどういうこと？　作品が置かれている場所ってこと？

 うん。屋外であれ屋内であれ、空間とその鑑賞者の存在も含めて、環境。ジャッドの作品は立方体が並んでいる間のスペースも作品の一部ってわけ。

 なるほど。

 こんなふうに作品とそれを取り巻く環境の関係性を徹底的に考え抜いたっていうことで、ジャッドは評価されてるんだと思うよ。

 たしかに、初見だとナニコレ？ってなるけど、空間も含めて作品っていうのはこれまでの作品になかったもんなぁ。

 うん。作品が生まれた経緯や作家の考えがわかると、理解が進むよね。

 ミニマル・アートの作家はみんなこんな感じなの？

 まぁ、ぶっちゃけそうかな。もう一人カール・アンドレって作家を紹介するね。木材やレンガを組み合わせたり、金属や石を未加工のまま床に敷き詰めたりする作風で知られてるの。

 おぉ、これはミニマル・アートだわ。なんか、ちょっとミニマル・アートの雰囲気つかめてきた気がする。

 日本だと六本木のTARO NASUってギャラリーで個展が開催されたことがあるよ。

現役の作家なんだね。

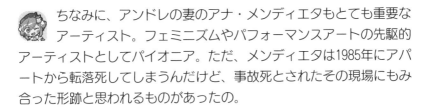 ちなみに、アンドレの妻のアナ・メンディエタもとても重要なアーティスト。フェミニズムやパフォーマンスアートの先駆的アーティストとしてパイオニア。ただ、メンディエタは1985年にアパートから転落死してしまうんだけど、事故死とされたその現場にもみ合った形跡と思われるものがあったの。

 他殺だったってこと？

 アンドレの関与が疑われたけど、無罪判決をうけて釈放されたんだ。

 そうなんだ。ミニマル・アートはコンセプトがわかってようやく意味もわかるし、鑑賞する側が能動的にその意味を考えることによって、ようやくその作品の良さがわかるってことか……。

 アートの価値って見た目がうまい、とかそういうことじゃなくなってるってわかってきた？

 うん！

 じゃあ、このコンセプトの部分を突き詰めたらどうなるか……。それが、コンセプチュアルアート。

 前に話してくれたデュシャンっぽいし、現代アートって感じがめっちゃするなぁ。

 デュシャンが現代アートの父って呼ばれてるのもわかってきたでしょ？

 たしかに！　でも、難しそう……。

そんなことないよ、むしろ最初は逆だったんだよ。アートはうまくないとダメって言われたら、技術力がないとアートを作れないでしょ？ でも、大事なのは見た目じゃなくてコンセプト、ってなったら、アートを作れる人が増えると思わない？

 アイデア勝負で何かできそう！

 つまり、アートの可能性が広がったとも言えるよね。

 ってことは、ミニマル・アートよりも簡単に作れそうなものが増えたの？

 まぁ言ってしまえばそうだね。作品自体の出来ではなく、作品の良さはコンセプトによって決まるってことだから。で、絵画や彫刻といった伝統的な形式はオワコンじゃない？という空気感が生まれていくわけ。ソル・ルウィットっていうコンセプチュアルアーティストは、アートで大事なのはアイデアやコンセプト。見た目じゃないんだよ！って言ってるよ。ルウィットはグリーンバーグが大嫌いだったからね

 出た、クレンバッシング！

 ちなみに、クレンバッシングで有名な作家にジョン・レイサムっていう人がいるの。グリーンバーグの本を人々を集めてみんなでぐちゃぐちゃに噛んで吐き出し、それを精製して作品化したことで有名。

 やば……。

 ただこの本が図書館の本で精製されてできた液体を返却したところ大学をクビになったの。

 いや、まぁ、それはそうだよね……。

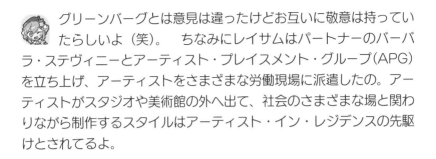 グリーンバーグとは意見は違ったけどお互いに敬意は持っていたらしいよ（笑）。　ちなみにレイサムはパートナーのバーバラ・ステヴィニーとアーティスト・プレイスメント・グループ（APG）を立ち上げ、アーティストをさまざまな労働現場に派遣したの。アーティストがスタジオや美術館の外へ出て、社会のさまざまな場と関わりながら制作するスタイルはアーティスト・イン・レジデンスの先駆けとされてるよ。

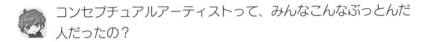 コンセプチュアルアーティストって、みんなこんなぶっとんだ人だったの？

いや、ここまで喧嘩腰な人は少なくて、どちらかというと知的な人が多いの。じゃあ代表的なコンセプチュアルアーティストを紹介するね。

 よろしくです！

もう、コンセプチュアルアートといえば、って言うくらい代表的なのが、ジョセフ・コスース、《１つおよび３つの椅子》（1965）。
※実際の制作年については諸説あり

椅子と文字と写真？

この文字は辞書のchairの項目なの。

ってことは、全部、椅子ってこと？

うん。

 どういうコンセプトなんだろ……。本物の椅子も写真の椅子も文字で説明された椅子って単語も全部椅子だ、的な……？

めちゃくちゃいい線いってる！

 マジで？

 椅子の「造形的な美しさ」じゃなくて、実物の椅子・椅子のイメージ・椅子の言語的定義の間にある、人間の認知・認識に関わるプロセスや仕組みを浮かび上がらせた作品なの。３つの椅子をそれぞれ個別で見ても椅子って認識するし、３つ並べると人がモノを理解する目に見えないプロセスを考えさせられるよね。椅子を人はどうやって理解して認識しているかっていうね。

　こんなものがアートだとみんな思っていなかったけど、こういうアイデアがアートとして成立すると示したエポックメーキングな作品なの。

 コンセプチュアルアートって謎解きというか、なんかゲームみたい。

 そうそう。だからよくわかんない、って考えるのをやめるんじゃなくて、これはいったい何なんだ……？って考えたり調べたりして楽しむもんだと思えばおもしろいでしょ。

 たしかに！　他にはどんなのがあるの？

 ソル・ルウィットの《ウォール・ドローイング》シリーズもおもしろいよ。東京国立近代美術館に行けば見られるしね。

 これはどういう作品なのか……。

 ちょっとこれは見ただけでは難しいかも……。これは指示書っていう、作品の作り方が作品になってるの。特殊な技能や才能がなくても、作家が現地にいなくても、指示書があれば作品を作ることができる、っていう作品。東京国立近代美術館にある作品も作家は亡くなっているけど、指示書があるから展示できるし、アイデアがき

ちんと伝われば誰でもできる、ってことかな。

 作家が自分で作らなくても作品になるのか……。

 実際作家が現地で作らずに指示書やデータどおりに誰かが作る、っていうのはコンセプチュアルアートの場合、しばしばあるよ。たとえば、ローレンス・ウェイナー、「文字」を用いた作品とかね。

 ホテルの壁に描かれてる！

 群馬県前橋市にある白井屋小テルだね。作家は言葉を創造し、実体化はキュレーターや所有者に任されてるの。
　美術館の壁や天井や床に記された言葉は、鑑賞者にとある状況やイメージを想起させるものなんだけど、それを具現化させるのは、作家本人でも、他の人でもいいし、あるいは誰もやらなくてもいいとされているよ。

 発想の勝利って感じがする。印象に残るなぁ。日本人のコンセプチュアルアーティストはいないの？

 河原温のデイト・ペインティングが世界的にも評価されていて有名だよ。日付が描かれているだけなんだけどね。

 え、それだけ……？

 そう、まさにそこが重要なの。主題やモチーフがあるわけじゃなくて、ルールに基づくアイデアでペインティング作品を作ったの。

伝えたい意図とか表現したいこととか感情とかまったく無しに？

うん（笑）。デイト・ペインティングの主なルールは、次の2つ！

POINT! **デイト・ペインティングのルール**

①制作は画面に描かれた当日のうち（午前0時まで）に終了
しなければならず、午前0時までに完成しなかった作品は
破棄される。

②日付のうち月名は、制作当日に河原温が滞在している国の
言語で表記される。ただし、日本のように現地で通用する
言語がラテン・アルファベットを用いない場合はエスペラ
ントで表記される。

 ほぉ……。まさにコンセプチュアル……。

 見た目の作品が素晴らしいかどうかは人によるかもしれないけ
ど、革新的でしょ。

 たしかに、これまで誰もやってないもんね。

 でしょ。日本国内の美術館にも収蔵されてるし、見られる機会
もあるかもね。

 あと、コンセプチュアルアートと言えば、アート・アンド・ラ
ンゲージも押さえておきたいね。

 グループ名……？

 うん。テリー・アトキンソン、デイヴィッド・ベインブリッジ、
マイケル・ボールドウィン、ハロルド・ハレルの4人のコンセ
プチュアルアーティストによって1968年にイギリス・コヴェントリー

で結成されたの。

 どういう繋がりの4人なの？

 以前からアトキンソンとボールドウィンは共同でコンセプチュアルアートの制作を行ってて、その流れでアート・アンド・ランゲージを結成したんだって。アート・アンド・ランゲージ結成前にアトキンソンがコヴェントリーの美術学校で教え始めた1967年から共同でコンセプチュアルアートを制作していたことが本人らの証言から明らかになってるんだけど、具体的にどのような作品を作っていたかはあまり明確になっていないらしいよ。

 なるほど。

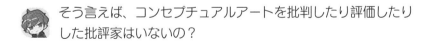 1969年には機関誌『アート＝ランゲージ』を創刊、ジョセフ・コスースらアメリカのコンセプチュアルアーティストとも協力して、視覚的要素を重視する従来の美術に疑問を投げかけ、言説と理論に基礎を置くテキスト・ベースの芸術活動を行ったの。

 まさにコンセプチュアルアートの王道って感じだね。

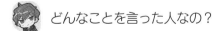 ある意味、芸術における理論（出版）と実践（制作）の一体化を目指したって言えるかな。

そう言えば、コンセプチュアルアートを批判したり評価したりした批評家はいないの？

おさえておきたいのはルーシー・リパードかな。

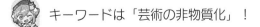 どんなことを言った人なの？

キーワードは「芸術の非物質化」！

案の定、難しい感じがしてきた……(笑)

 まずは人となりから……。

 おねしゃす!

 リパードは大学卒業後MoMAの図書館に勤務したんだけど、そこで夜勤をしていたソル・ルウィットと出会うの。

 ルウィットとの出会いが重要だったってこと?

 理論家のルウィットと仲良くなったことやMoMAでコンセプチュアルアートなどのアーカイブ業務を行ったことがリパードの理論の基礎を形作ったと思うの。

 なるほど。

 リパードは1968年、ジョン・チャンドラーとの共著として『アート・インターナショナル』誌上で論考「芸術の非物質化」を発表したの。この論考はコンセプチュアルアートを理論的に補強するものとして有名で、とりわけルウィットの制作を目にした影響から、1960年代のアメリカ美術における物質的なオブジェの概念を否定するような観念的な作品の傾向を見つけたの。

 キャンバスとか彫刻とか実際に物理的なモノがあるわけじゃない作品が出てきてるよ、的なこと?

 うん。概念的なものや光や音を含む目に見えないものがアートの素材として台頭しつつあることを指摘したの。

 なるほど。

リパードはアクティビストとしての顔もあって、美術館の民主化を掲げてジェンダーやエスニシティの平等を要求したり、ベトナム戦争に反対の声をあげた芸術労働者連合（AWC）にも深く関わったり、色んな点でアート業界に影響を与えた人って意味でも重要なの。ちなみに、リパードの論考は1973年に日本語に訳出されて『美術手帖』に掲載されたの。この類の論考があまり翻訳されない日本でも5年後に翻訳されたっていうことを見ても、いかに重要だったかわかるよね。

たしかに。覚えておこうっと。

さて、ミニマル・アートのコンセプト部分を追求したのがコンセプチュアルアートだとすると、さらにそのコンセプチュアルアートの後継者的なムーブメントがあります。

なんだろ……。結構もうやりつくされた気がする。というか、もはや何でもアリになってきた気がするもん。

甘い！　まだまだアートの幅は広がっていくよ。注目すべきは、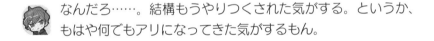
場所！

うーん……。場所って言われても……。

これまでのアート作品ってどこに展示されてた？

美術館とかギャラリーとか？

そう！ってことは……？

 美術館とかギャラリーじゃない場所に作品を置くってこと？

イグザクトリー！

なんかテンション高いな……。

 だって発想がかっこいいじゃない。もう室内でできることは結構やられちゃったし、よっしゃ外行こうぜ外！的な、ね。

 ふっきれた感じがするね。

 もっと広い空間でやろう！　よし、自然の中に作品を作ろう！となって1960年代後半〜 1970年代に生まれたのがランド・アート。閉ざされたギャラリー空間や限られた都市空間から解放されたいという欲求とアイデアが大事というコンセプチュアルアートの考え方を受け継いだの。定義するなら、ランド・アートとは主に岩、土、木、鉄などの自然素材を用いて、自然空間に作品を構築・設置するムーブメント。

 なんか建設現場っぽい素材。

 たとえば、ロバートスミッソンの《スパイラル・ジェティ》。アメリカ・ユタ州のグレートソルト湖に6500トンの岩とか土砂で作られた作品。

 え、待って、規模がやばい。

 全長は約457メートル！

 もう土木工事だわ……。東京スカイツリーの展望フロアですら450メートルなのに。

 しかも湖の水位が上がると沈むから見えなくなるという自然に左右される要素もあるの。

 これが作品ですって言われたら、戸惑うね……（笑）。

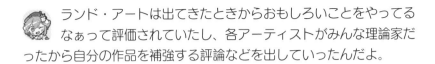 ランド・アートは出てきたときからおもしろいことをやってる
なぁって評価されていたし、各アーティストがみんな理論家だ
ったから自分の作品を補強する評論などを出していったんだよ。

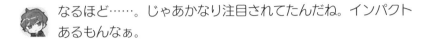 なるほど……。じゃあかなり注目されてたんだね。インパクト
あるもんなぁ。

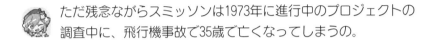 ただ残念ながらスミッソンは1973年に進行中のプロジェクトの
調査中に、飛行機事故で35歳で亡くなってしまうの。

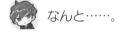 なんと……。

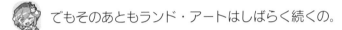 でもそのあともランド・アートはしばらく続くの。

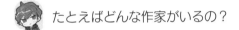 たとえばどんな作家がいるの？

砂漠で約1.6キロの平行線
を描き続ける《マイル・ロ
ング・ドローイング》（1968年）を
きっかけにランド・アートの制作
に入っていったウォルター・デ・
マリア。

ほぉ！

ウォルター・デ・マリア《Beds of Spikes》

 代表作はニューメキシコ州カトロン郡の砂漠に避雷針になるス
テンレス製ポールを大量に設置した《ライトニング・フィール
ド》（1977年）。

これも工事系だ。

 そうそう。

雷が落ちてくる自然との対話、みたいな作品？

 もちろんそういう側面もあるし、避雷針自体がミニマル・アート的な側面もあると思うよ。スミッソンもデ・マリアも元々はミニマル・アートからキャリアをスタートさせた作家だしね。

 なるほど。

 最後に、まだ完成していないけど完成したら最大と言われているランド・アートを紹介しよう！

 え、まだ作ってる作品があるの？

 うん。しかも1970年代から。

 どういうこと……？

 じゃあ、まずは作ってる作家から話すね。

 うん。

 作家の名前はジェームズ・タレル。日本にも結構作品が設置されてるから知ってる人もいるかも。新潟の十日町とか金沢21世紀美術館とか地中美術館とかね。

ジェームズ・タレル「光の館」

 この光の館、泊まれるんだ！　いつか行きたいなぁ。

 いつか行こうね。

そのいつかは来るのだろうか。

 タレルは光に関するインスタレーションが多いよ。あと飛行機の免許を持ってて、空からの眺めもインスピレーションになってるんだって。

 ランドアーティストには飛行機の免許は必須なんだね。作品の全体像を把握するのに上から見たいからなのかな（笑）。

 タレルは1970年代半ばにとある土地を見つけたの。それは直径約300メートル、深さ約200メートルの火山の噴火口。

 でかいって……。

 ここで自分のライフワークになる巨大な作品を作りたいと考えたタレルは、土地の所有者を説得するの。数年がかりで。

 説得までに数年間……。やってることがデベロッパー……。

 その後土地を購入したタレルは1979年から現在に至るまでずっと建設作業を続けてるの。作品タイトルは《ローデン・クレーター》。完成すれば、大規模な作品が多いランド・アートの中でもおそらく最大と言われてるよ。

 作品って呼んでいいのかわからない規模だわ……。いくところまでいったなぁって感じがする。コンセプチュアルアーティストとかランドアーティストって変わった人が多いの？

 いや、むしろ知的で常識人が多く、破天荒な人は少ないの。おもしろエピソードのある作家は少ないのに、作品が変わってたり、規模がすごかったりするからギャップがおもしろいよね。

そうなんだ（笑）。

ただ知的な人が多かったからコンセプチュアルアートはどんどん難しくなっていくんだよね……。初見の人は意味がわからないし、「わかる人だけわかればいいんじゃない？」的なエリート主義な傾向を見せることも多くなっていくの。

最初は絵が描けなかったり、技術がなかったりしてもアイデアがあればアートを作ることができるって言われてたのに？

どんどん内容が高尚になっていくんだよね……。たとえば、哲学書を印刷したものを壁に貼っただけの作品とか芸術理論が書かれた雑誌を置いただけの作品とか、ビジュアルのおもしろさもないし、難しくなっていくし……。

難しい作品ばかりだとなぁ……。

たとえば紹介したアート・アンド・ランゲージは1970年代にチャールズ・ハリソンとメル・ラムズデンが加入したんだけど、1970年代半ばまでに規模は縮小していって、最後はボールドウィン、ラムズデン、ハリソンだけになったの。

なんで縮小していったの？

ちょっと尖りすぎたっていうか、先鋭的すぎたのかな。高い評価を受ける一方、コンセプチュアルアートが狭いサークルの中でどんどん難解になって、一般から理解されなくなっていくの。

なるほど……。難解化していく象徴的な例なんだね。

みんなに開かれた状態からエリート主義で排他的になる、という流れはよく出てくる変化と言えるかも。こうした傾向への反

動もあって、この後わかりやすい絵画に戻ることになるの。

 また絵の時代が来るわけかーなんかアートって時代ごとのムーブメントを知っておくと、なんで次の時代にこんな作品が生まれたのかって理解しやすくなるね。

 ね、歴史を知れば知るほど楽しめるって言ったでしょー。

 次はどんなムーブメントが来るのか気になる！

今日のまとめ

抽象表現主義 偉くなって敵増える…

クレメント・グリーンバーグ （先生）　　ロザリンド・クラウス （弟子）

| モダニズム | = 形式的
見て良いと
すぐに分かる | ⟷ | ポストモダン | = 作品の置かれる
場所や見ている人を
含めて考えよう！ |

ミニマル・アート	コンセプチュアル・アート	ランド・アート
見ている人も込みでアート 工業製品っぽい作品もある	アイデア・コンセプトが重要！ 誰でも作家になれる➡難解に…	自然素材&自然空間 デカい作品が多い

| 代表的な作家 | ドナルド・ジャッド
カール・アンドレ | ソル・ルウィット
ジョセフ・コスース
ローレンス・ウィナー
河原 温 | ロバート・スミッソン
ウォルター・デ・マリア
ジェームズ・タレル |

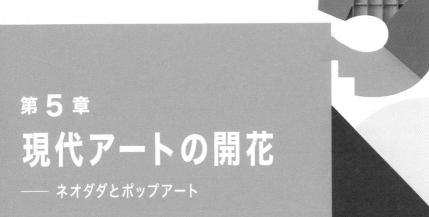

第 5 章
現代アートの開花
—— ネオダダとポップアート

次は、ポップアートについて話したいです。

 ポップアートは聞いたことある！

 ポップって言葉自体よく使われるから、何となくイメージがつきやすいっていうのもあるかもね。

 ということは、結構わかりやすいのかな。

 うーん……、それは微妙！

 え、なんで……？

 実は、説明するのが意外と難しいんだよね……（笑）。

 そうなんだ！

 まず簡単にこれまでのおさらいをしてみよっか。

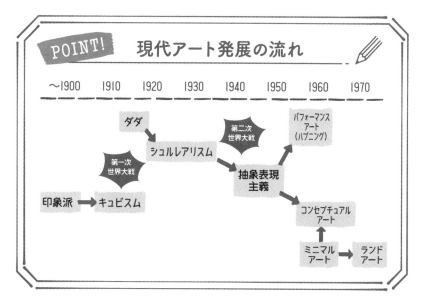

ポップアートに影響を与えたと言われているのがネオダダ。時間軸で見てわかるように、抽象表現主義と重なってるの。

 アート界を席巻した最強のムーブメントなのが抽象表現主義、だったよね？

 そうそう。支配的な抽象表現主義に対して、異なる芸術様式を提示しようとしたの。

 ネオダダって、ネオなダダってこと？

 まさにそういうこと！　抽象表現主義の名付け親でもある美術評論家のハロルド・ローゼンバーグが名付けたの。ネオダダ作家の特徴は廃物を含む既製品を使ったり、大衆的な図像や記号の流用したってところ。

 どんな作品があるの？

 ロバート・ラウシェンバーグ、ジャスパー・ジョーンズ、アラン・カプロー、ハプニング的な芸術実践を行っていたクレス・オルデンバーグ、ジム・ダインらの作品が有名だよ。

 抽象表現主義の作品とはだいぶ違うね。

 だね。既存のアートの枠組みに収まりにくいオルタナティブな美や創造性を見いだそうとする芸術作品を生み出したの。その反骨精神や反抗性ゆえに「新しいダダ」と呼ばれたんだよ。

 じゃあ、抽象表現主義のライバルだったの？

 うーん、そういうわけでもないんだよね。別にはっきりと反抗したわけではないけど、「抽象表現主義」がもつ情緒性・表現性

▲ジャスパー・ジョーンズ《Flag》

▶ジャスパー・ジョーンズ《Target with Four Faces》

に対して、「乾いた記号的表現」を模索したって感じかな。戦後消費社会の到来を予感させるというか、次のポップアートに繋がる動きだったの。

 さっきの作品がネオダダってことだよね。どういう作家がいたのか知りたいな。

 まずはロバート・ラウシェンバーグ。アメリカやフランスの美術学校で学んだあと、ノースカロライナ州に創設されたオルタナティブ・スクール、ブラック・マウンテン・カレッジでジョン・ケージやそのパートナーであったダンサーのマース・カニンガムから薫陶を受けたの。1950年代半ばからコンバイン・ペインティングと呼ばれる立体的な絵画の制作をスタート、カニンガムのダンス・カンパニーの美術監督として世界中を公演でまわる過程でアーティストとして著名になっていったんだよ。

 ふむふむ。

 そして、1964年にヴェネツィア・ビエンナーレで最優秀賞を受賞したことでその名声は確立されたの。

ヴェネツィア・ビエンナーレって何……？

 イタリアのヴェネツィアで2年に1回開催されている現代アートの国際展覧会。1895年から開催されていて、美術のオリンピックとも言われていて、ものすごく権威のあるイベントなの。

 それに選ばれたってことはみんなに認められてすごいってことか……。どんな作品が知られているの？

 たとえば、デュシャンが既製品の便器を持ってきたように、コーラの瓶や広告など既存の日用品を作品に組み込んだり……。

 なんかとっつきやすいというか、インテリっぽくないね。

 大衆的なイメージを使っているのが高尚な感じやエリート意識が低くて受け入れられやすいのかも。実際当時もそんな感じだったらしいよ。

 抽象表現主義に関する批評家がどんどんエリート主義で堅苦しく権威主義的でいけ好かない感じになってたから、こういう感じの作品が喜ばれたのかな。

 あと、ミニマル・アートのときにも話したけど、批評家の力が強くなりすぎていたのも問題としてあったのかもね。たとえば、フランツ・クラインが自身の作品は日本の書道の影響を受けていると言っていたのに、批評家のグリーンバーグは自分が作品を作っているわけではないのにそんな影響はないって批評し、作家がグリーンバーグに従ったりしたんだよね。グリーンバーグは抽象表現主義という芸術の自立性を守りたくて他の何かの影響を受けていたことを認めなかったのかもって言われてる。

 それはなんかおかしい気がする……。

そんな中でラウシェンバーグの作品ように、なんか身近に感じられるものが出てきたから、より受け入れられたんだと思うよ。あと、せっかくだからラウシェンバーグが影響を受けたジョン・ケージについて少し話しておこうかな。

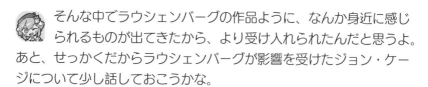 演奏しない曲を作った人だ！

 そうそう、演奏する人たちが音を出さない「4分33秒」を作った人ね。「20世紀実験音楽の父」と呼ばれていて、非西洋の思想を取り入れた「偶然性の音楽」を西洋世界で確立したの。音楽家だけではなく前衛的な芸術家、舞踏家、写真家などさまざまな領域のクリエーターに大きな影響を与えたんだよ。「4分33秒」も賛否が分かれたの。

でしょうね……（笑）。

 演奏者が生み出す音はないけど、演奏場所で偶然に起きる音とか聴いている人たち自身が立てる音とか意図しない音は出てるわけで、楽器などの伝統的な音だけでなく、あらゆる音を音楽として意識させることになったってことで後世に多大な影響を与えた重要な曲なんだよ。

そんな深い曲だったとは……。ネタとしてとらえてたわ。

 余談だけど、ジョン・ケージはキノコの研究者としても知られてるので、気になったら調べてみて。

りょ！ ネオダダ、他にはどんな作家がいるの？

 ジャスパー・ジョーンズも有名かな。存命の作家。1950年代半ばから国旗や数字、地図や短い線を用いた絵画を制作し始めたの。ダーツの標的をモチーフにした作品は特に有名で、アート・マーケットでは高額で取引されているね。

なんで高いの……？　正直よくわかんないんだけど……。

 芸術の中で描かれるものではないとされていた世俗的なモチーフを描いたことが後世の立場から評価されたの。それまでは３次元のものをどのように２次元に描くか、ということがペインティングの課題だったけど、ジャスパー・ジョーンズはそもそもそういうことに興味がなくて、地図や的みたいに元々２次元のものに奥行などを描くことは最初から諦めて２次元で描いたの。この発想がかなり新しかったって感じ。

 わかったようなわからないような……。でも、共通項としてこれまでアートの中で取り上げられなかったモチーフを描いたんだってことはわかったよ。

 その後ネオダダの影響は本家のダダに比べると小規模ではあるけども、世界に飛び火していったよ。日本だと、ネオ・ダダイズム・オルガナイザーズというグループが1960年にできたの。日本の前衛的な作品を生み出したグループとして重要だし、みんなキャラが濃いから、機会があったらまた喋らせて！

 おっけー！　たしか今回のテーマってポップアートだったと思うんだけど、ネオダダとポップアートが関係してるの？

 ラウシェンバーグの広告など日常にあふれているものを使ったコンバイン・ペインティングの作品やジョーンズの国旗を使った作品から、ポップアートのアーティストたちはそういう身近なものでも作品になるんだということを学んだの。モチーフの影響が大きいと言われてるよ。

 なるほど、そういう関係性があるのか。

 広告やグラフィックなど商業主義的な手法が入ってきたので、ネオダダと比べるとポップアートは乱雑さが薄れて整った作品

が多いかな。じゃあ、満を持してポップアート、いってみよう！

 おねしゃす！

 ポップアートは1950年代後半〜60年代のムーブメント。だいたいミニマル・アートと同時期かな。でも、ミニマル・アートとかなり対照的。アンディ・ウォーホル、ロイ・リキテンスタイン、ジェームス・ローゼンクイスト、トム・ウェッセルマンなどポップアーティストたちが1960年前半に相次いで個展を開催して、勢いがどんどん増していくの。

 たしかにミニマル・アートと全然違うテイストだね。どこかで見たことある作品が多い気がする。

 グッズになってるものも多いからね。プリントされたTシャツもよく売られてるよね。ポップアートという言葉を名付けたのはイギリスの批評家ローレンス・アロウェイ。イギリスの代表的ポップアーティスト、エドゥアルド・パオロッツィの作品の中に 実際「POP」という言葉が出てくるんだけど、アロウェイと一緒に活動していた時期もあり、ここからポップアートという言葉が出てきたと言われてるの。
　当初ポップアートという言葉は「大衆文化（ポピュラー・アート）」と同義で用いられてたんだけど、大衆文化をモチーフとした作品がイギリスとアメリカで登場してくるにつれて、アロウェイが率先して美術作品自体の呼称として使うようになって、美術のムーブメントを指す言葉として定着したの。ウォーホルやリキテンスタインなどアメリカのポップアーティストが出てくる前から、ポップアートの前史的な動きは存在してたんだよ。

 ポップアートはネオダダ以外に過去の何か別のムーブメントを引き継いだりしてるの？

ネオダダもモチーフの影響は受けているけど、じゃあ後継者的なムーブメントなのかって言われるとそうとも言えないんだよね。ポップアートは過去のどれかのムーブメントから直接影響を受けたものじゃなくて、戦後アメリカの経済成長による消費社会の登場を背景としたコンセプトに基づいたムーブメントっていうのが特徴。

　社会情勢を反映して、社会批評的な作品として生まれたものがポップアートだから、ある意味コンセプチュアルアートとも言えるかも。

 そうなんだ。

 ちなみに、さっき出てきたイギリス人アーティストのパオロッツィがコラージュなどで使っていた雑誌はアメリカの雑誌で、やっぱりアメリカの消費社会の影響を受けているのは間違いないね。

 ポップアートの定義ってあるの？

 映画や広告など、大衆文化の産物を主題や素材として用いた芸術、って言われてるよ。

Milan, Italy - February 3, 2018: Famous portrait of Marilyn Monroe by Andy Warhol on stamp

 なるほど。代表的なアーティストと言えば、アンディ・ウォーホル？

 そうだね、色んなところで作品を目にするよね。ウォーホルは商業イラストレーターとして成功したあと、アーティストになったの。シルクスクリーン、写真、版画、ビデオなど、あらゆるメディアを利用して作品を制作していて、1980年代に誕生したコンピュータもいち早くアートに使い、デジタル・アートの先駆的なこともしてる。

 新しいもの好きだったんだ。

ロックバンドのヴェルヴェット・アンダーグラウンド（バナナのジャケットは有名）のプロデュースもやったり、いわゆる「芸術界」にとどまらず、幅広く活躍したんだよ。
　ウォーホルが実際に描いたペインティングもあるけど、やっぱり有名なのはシルクスクリーンを使った作品。

 マリリン・モンローとか、花とか見たことあるし、ウォーホルっぽい作品って何となくイメージがわくよ。

見てぶっちゃけどう思った？

うーん、これまで見てきたアート作品って、よくわかんないとか雰囲気がアートっぽいとか、何だかんだアートとして見てきたけど、ウォーホルの作品はグッズとかで見慣れてるからか、アートっていう感じより、オシャレでかっこいい、っていうイメージがあるんだよね。

 まさにそこがウォーホルの目指したところだと思うよ。

 え、そうなの……？　ウォーホルにまんまと乗せられてる？（笑）。

再生産を自由にできるシルクスクリーンを使ったところがポイント。消費社会の中で、ウォーホル自身も大量生産できる技術に対応して大量生産を進めたの。

 同じものがいっぱいできるよね。

複製を続けて同じものがいっぱいできるとどうなるか……。電気椅子とか交通事故の車とかマリリン・モンローとか強度の高いイメージを持ったものの強度が薄れていくんだよね。

 たしかに……。いっぱい見てたら本来の意味が気にならなくなるというか。

ちょっと難しい言い方をすると、ウォーホルは強いイメージのものが記号になっていくことを目指したの。欲望や死に関わるものが本来の意味を失っていく。だから本来の意味は気にならなくなって、むしろオシャレでかっこいいイメージが残るようになったってわけ。

 なるほど……。

 あと、ウォーホルはファクトリーと呼ばれるスタジオで自身のアート作品を生産したんだけど、これはダミアン・ハースト、ジェフ・クーンズ、村上隆ら現代のスター作家が行うスタジオでの分業体制の先駆例でもあるんだよね。

 大量生産できる準備も整えてたってことか。

 もう一人の代表的な作家がロイ・リキテンスタイン。リキテンスタインの作品も見たことあるかもね。

 たしかに見たことある！　ポスターとかで見たんじゃないかな。

 最初、1950年代にデビューしたときは当時流行していた抽象表現主義的な絵画を描いていたんだけど、1960年代に画風をがらっと変えて、マンガの1コマを拡大して描いた作品を制作し始めたの。ウォーホルとは対極的に、真面目でデビュー当時は大学講師として働いていたんだよ。

 同じポップアーティストでもキャラが違うのか。

 真面目だから印象的なエピソードはあまりないんだけど、1964年に『LIFE』誌がリキテンスタインのことを「アメリカ史上最悪のアーティスト」とこき下ろしたことは有名だよ。

なんでそんなに叩かれたの？

 ただ漫画のコマを大きくしただけやん、って言われたんだよね。しかも当時漫画は低級な文化とされていたから余計に叩かれたんだと思う。ウォーホルはスターダムに駆け上がったけど、リキテンスタインは当時評価が低かったの。

 真逆……。

 ただどんだけ叩かれても立体作品を作ったりはしたものの生涯作風を変えることはなくて、同じ作風で作品を作り続けたことが、晩年に評価されたの。低俗な文化だった漫画をハイカルチャーな美術の世界に持ち込んだことが新しかったと後から評価されたって感じかな。

 真面目っていうか、めっちゃ精神的にタフで、逆に怖くなるくらいハートが強い！

 日本だと東京都現代美術館などで作品を見ることができるよ。

 でも、なんでこんな作品をウォーホルやリキテンスタインは作ろうとしたんだろ？

 大量生産・大量消費社会の到来があると思う。色んな複製技術の誕生と発展の中でウォーホルやリキテンスタインが日々感じていた、ハイ・アート（純粋芸術）とロー・アート（コミック）の境界線、オリジナルとコピーの境界線が消失していくっていう感覚が作品に投影されているんじゃないかな。

 なるほど。

 ウォーホルはオリジナルとコピーの境目が消失しつつある状況

を背景としてシルクスクリーン作品を生み出し、リキテンスタインは
ハイ・アートとロー・アートの境界線が曖昧になっている状況を端的
に示している作家って感じかな。

 ただオシャレってだけじゃないし、オシャレって感じること自
体が意図された結果ってことかー。

 何でポップアートはムーブメントとして受け入れられたの？

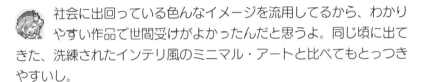 社会に出回っている色んなイメージを流用してるから、わかり
やすい作品で世間受けがよかったんだと思うよ。同じ頃に出て
きた、洗練されたインテリ風のミニマル・アートと比べてもとっつき
やすいし。

 見ため的にも飾りたくなるような感じもあるしね。

 ポップアートもポップアートと同時代のミニマル・アートも、
抽象表現主義に飽きたアート界から評価されたんだよね。

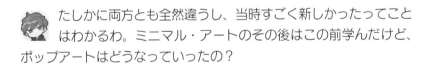 たしかに両方とも全然違うし、当時すごく新しかったってこと
はわかるわ。ミニマル・アートのその後はこの前学んだけど、
ポップアートはどうなっていったの？

 ポップアートはどんどん広がっていって、若者のカウンターカ
ルチャー、ヒッピー・ムーブメント、ドラッグ文化など幅広く
広がっていって、さらにグラフィックや広告、イラストレーションの
世界にも影響を与えていったの。抽象表現主義はアート好きに対して
は影響が大きかったけど、ポップアートはもっと広い層に受け入れら
れたんだよね。ただ逆にあまりにもいろんな分野に広がったから、当
たり前になりすぎてムーブメントとしては収束していくの。

 特別視されない状態になったってことか。

そういうこと。

 ポップアートの後継者的なムーブメントはないの？

 うーん、なくはない、かな……。

 なんか歯切れが悪いね。

 厳密に言うと、後継者的みたいなムーブメントはないんだよね。ただ、コンセプチュアルアートがどんどん強くなった反動でペインティングに戻ってきたっていう時期があって、あえて言うならそれが後継者的な感じかも。あとシミュレーショニズムもそう、後継者的な感じかな。

 たしかにこの前コンセプチュアルアートがどんどん難しくなっていったって言ってたもんね。

 うん。その結果、再びペインティングの時代が来るの。

 へぇ。

 その名も、ニューペインティング。

 まさに、って名前！

 1980年代、欧米を中心として世界的に目立つようになった絵画のムーブメントで、ミニマリズムやコンセプチュアルアートなどの洗練された芸術に対して、しばしば死や暴力、神話などを主題とする表現主義的な、荒々しい絵画を特徴とする作家がいっぱい出てきたの。題材としてもパーソナルなものが多く、ミニマル・アートなどで排除された「個人」が戻ってきたって感じ。前にも話したように、

揺り戻しだね。

 じゃあ、ちょっとわかりやすかったんだ。

 うん、見た目にもインパクトがあったりするしね。

 どんな作家がいるの？

 まずはフランチェスコ・クレメンテ、サンドロ・キア、エンツォ・クッキらと３Ｃと呼ばれるイタリア生まれの作家。イタリアでのニューペインティング運動はトランスアバンギャルディア（前衛を超えて）と呼称されたの。薄い水彩画で、人物像、あるいは人体の一部を描いたものが有名。

　それからゲオルク・バゼリッツ。ドイツ生まれ。上下を逆転させてモチーフを描く絵画作品がよく知られてるよ。人物や風景など具体的なモチーフを倒立させて描き、抽象的な見た目の作品にすることで、ある意味では抽象表現主義とは異なる、具象と抽象を融合した絵画を制作したの。ちなみに、2000年代になって女性は絵が下手という性差別的・本質主義的な発言を繰り返しており、強い批判を受けているよ。

　あと、ジュリアン・シュナーベル。壊れた陶器の皿をキャンバスに張りつけた作品が有名。1970年代末にメアリー・ブーンが見いだし、自身のギャラリーで発表の機会を与えたことで世に出たの。1990年代に入ると映画監督もするようになって、『バスキア』（1996）や、ヴェネツィア国際映画祭の審査委員グランプリを受賞した『夜になるまえに』、カンヌ国際映画祭監督賞とゴールデングローブ賞監督賞をダブル受賞した『潜水服は蝶の夢を見る』を撮ったの。2016年にBlum & Poeで個展「Infinity on Trial」を開催して、絵画を発表するなど、近年でも旺盛に美術制作を継続しているよ。

　日本人作家だと大竹伸朗、吉澤美香、横尾忠則らがニューペインティングの作家として知られているね。

 めずらしく一気に話したね。

なんていうか、ムーブメントと言えばムーブメントなんだけど、何がどう新しいかを言うには難しくて……。なので、作家と作品を紹介しました！（笑）

なるほどね。たしかに、明確に共通する何かを感じ取るには幅が広いというか……。

でも、ペインティングとしてのおもしろさというか、迫力みたいなものは感じるでしょ？

うん、それは伝わってくる。一般的にアートって言われそうな作品って感じ。

今も現役で活動している作家も多いから、海外のギャラリーとかアートフェアで新作を見ることができたりするよ。

ちなみに批評家の評価はどうだったの？

もちろん評価する人もいたし、マスメディアにはよく取り上げられたんだけど、アート界で有名なのは批判的な方かな。ロザリンド・クラウスって覚えてる？

ミニマル・アートの回に出てきた人だ。

そうそう。クラウスが創刊した『オクトーバー』という雑誌があって、その界隈ロザリンド・クラウス、ハル・フォスターや批評家のロバート・ヒューズは酷評したの。

どんな風に？

クラウスは「新しさが何もない」。フォスターは「美術史への参照をそのまま紋切り型と化した引用として使って普通の近代

的絵画に装飾を施しただけ」。ヒューズは「売れ線の作品を作ってるだけで市場に迎合してる」って言ってるね。

 新鮮さがないってことか。

 そういうことだね。オクトーバー系の批評家たちは、ミニマル・アートやコンセプチュアルアートのような芸術概念そのものを押し広げるような作品を評価していたから、ニューペインティングは何も広がりがないただの焼き直しだと感じたんだろうね。

 そういう見方もあるのか、なるほどね。

 でも、どの作品も圧がすごいというか印象に残りやすいから、どこかで見られたらいいね。

 今日も勉強になったし、海外の美術館とか行きたいな。

 現代アートの歴史を順に追いながら鑑賞できたりするからおもしろいと思うよ。あと、写真で見るより実際に本物を見た方がいろいろ気付くことが多いんだよね。

 実際に見たら絵の具の盛り上がりとか、かすれ具合とか、こんな風に描かれてるんだって発見があるもんね。

 うんうん！　がっくん、わかってるね！

 へへへ。

今日のまとめ

抽象表現主義

1950年 ——————————— 1960年 ———————

```
┌──────────────────────────────┐
│           ネオダダ            │
└──────────────────────────────┘
     ┌──────────────────────────────┐
     │         ポップアート          │
     └──────────────────────────────┘
```

世俗的なモチーフが増える

ロバート・ラウシェンバーグ
身近なものを使い制作

ジョン・ケージ
演奏しない「4分33秒」

ジャスパー・ジョーンズ
2次元のものを2次元で描く

代表作家

アンディ・ウォーホル

ロイ・リキテンスタイン

大量生産・
大量消費社会を
作品に反映

わかりやすい作品で
広く受け入れられていた！

第6章

現代アートの結実

―― オリエンタリズム、リレーショナルアートと
ソーシャリーエンゲージドアート

今回はだいぶ現代っぽいというか、今も進行中のムーブメントも含んだ解説回です！

 ずっと歴史を追ってきたもんね。

 ということで、マルチカルチュラリズムから始めて、ソーシャリーエンゲージドアートまで話す予定！

 急に専門用語的なものが連発されてるんだけど……。ついていけるか不安……（笑）。

 大丈夫大丈夫、そんなに難しく考えなくてもいけるよ、きっと。むしろこんなアートがあるんだって、おもしろいって感じるんじゃないかな。

 そうなの？　じゃあ、さっそくよろしくお願いします！

 はーい！　これまで色んなアートの歴史を見てきたけど、どこの国のアーティストが多かったか覚えてる？

 最初はヨーロッパで、そのあとはほとんどアメリカだった気がする。

 そのとおり！　アートってスタートからずっと欧米中心だったの。でも、ちょっと不思議じゃない？　だって欧米以外にも国はいっぱいあるし、現代アーティストもいるはずでしょ？

 たしかに……。日本もあるし、欧米以外の外国もいっぱいあるよね。

 うん。じゃあ何で欧米以外の国の作品がこれまでそんなに出てこなかったか、それを考えるには1970年代に出てきたオリエン

タリズムという概念を理解するのが大事なの。

 オリエンタリズム……？

 エドワード・サイードという文学研究者が提唱した概念で、西洋が非西洋に対して意識的・無意識的に押し付けてきたイメージや表象を指すものなの。サイードは、「受動的」「野蛮」「非近代的」などの非西洋への・イメージ

エドワード・サイード
『オリエンタリズム』（上・下）
平凡社ライブラリー

は、西洋の作家が制作した絵画や文学を通して普遍的で一般的なものとなっていったと主張したの。

 ちょっと難しいけど、欧米以外の地域は欧米より劣ってるって無意識に思われてきたってこと？

 そう。たとえばドラクロワ《アルジェの女たち》（1834）はアルジェリアのハーレムにいる側室たちを描いているんだけど、女性たちはみな性的、官能的な雰囲気に描かれてるの。さらにアヘンを吸引している人がいることで、退廃的な空気が醸し出されているのもわかるよね。

ドラクロワ《アルジェの女たち》

 たしかに……。

 もちろん当時ははっきりとした差別的な意識を持って描かれた訳じゃないんだけど、無意識の中で非文明的なものとして東洋を描いていることを示すものだ、ってサイードは考えたわけ。

こういう絵を見た人たちにも、無意識のうちに同じように、イメージが植え付けられていったのかな。

劣った存在として非西洋を一方的に規定する西洋からの「眼差しの暴力」は、植民地支配や帝国主義的侵略を正当化するイデオロギーという側面もあったと言われているよ。だから植民地支配からさまざまな地域が解放されたタイミングで、このオリエンタリズムの概念が広がったのかもしれないね。

言われてみれば……って感じがするけど、サイードはこんな構造によく気付いたね。

サイードはパレスチナ生まれでアメリカに渡った研究者なの。さまざまな勢力に侵略されてきた歴史や、西洋と東洋の中間に位置するエリア出身で、しかもアメリカに渡って文化を研究し始めたというバックグラウンドが、オリエンタリズムという考えに繋がったんじゃないかな。

なるほど。それで、オリエンタリズムがアートにも広がったってこと？

うん。さまざまな文化でオリエンタリズムを援用した分析が行われたんだけど、アートも例外じゃなかったの。欧米以外にも注目すべき、っていう考えが広がり、欧米以外の芸術も見ていこうとなったって感じかな。

だから多文化主義、マルチカルチュラリズムってことか。

現代アート界で、マルチカルチュラリズムのスタートと言われている展示があるの。これを知ってると、おぬしなかなかやるな、って思われるよ。

 マジで？　教えて！

1989年にパリのポンピドゥー・センターで開催された「大地の魔術師たち」展。フランス人キュレーターのジャン・ユベール・マルタンによる企画で、欧米ではアートとして扱われないような、欧米以外のエリアにあった仮面や呪術に使われる道具もアートと同列に扱ったの。

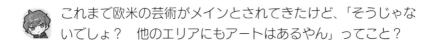 これまで欧米の芸術がメインとされてきたけど、「そうじゃないでしょ？　他のエリアにもアートはあるやん」ってこと？

まさにそんな感じ。アフリカの独立やアジアの発展など欧米以外の経済が発展してくると、欧米以外でも芸術祭が開かれるようになって、1984年からハバナビエンナーレがスタートしたり、欧米以外のアートが注目されるようになったの。そんな状況で企画された展示だったからめっちゃ注目されたわけ。

 なるほど……！

植民地主義の焼き直しという批判もあったし、個々の作品自体の評価まではいかなかったんだけど、全般的にはマルチカルチュラリズムの先駆的展示として高く評価されたの。そして、ここから作品自体も評価される時代が始まるよ。まさに世は、真の意味でのグローバルなアート時代！

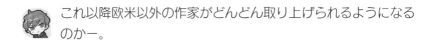 これ以降欧米以外の作家がどんどん取り上げられるようになるのかー。

アーティストだけじゃなく、非西洋出身だったり非西洋を拠点に活動するキュレーターの活躍も目立つようになったの。欧米以外の近現代の美術が注目され、これまでになかったような視点で展覧会のテーマが作られて多様性が生まれたんだよ。

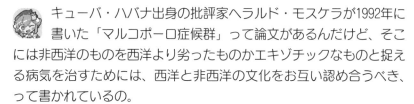

 欧米の中にいると気付きにくいことがあるんだね。

 キューバ・ハバナ出身の批評家ヘラルド・モスケラが1992年に書いた「マルコポーロ症候群」って論文があるんだけど、そこには非西洋のものを西洋より劣ったものかエキゾチックなものと捉える病気を治すためには、西洋と非西洋の文化をお互い認め合うべき、って書かれているの。
　非西洋のアートを文化人類学的な研究対象じゃなく、西洋のアートと同列のアートとして扱うようになったんだよ。

 時間がかかることかもしれないけど、色んな国のアートがきちんと評価されていくのはいいね。

 うん。で、異文化への理解が求められたり、関心が深まっていって、他者との関係性が求められるようになるの。

 たしかに自分以外のものに関わっていかないと理解も進まないもんね。

 そんな中で、まさに"関係性"に注目したアートが出てくるようになるの。名付けて、リレーショナルアート！

 リレーショナルアート……？

 人間の相互行為を理論的地平とするアート、のことです！

 日本語でお願いします……。

 世界との関係性を作り出すアートとか、社会性を創出するプラットフォームって言うとわかる？

 もうちょい優しくおねしゃす……。

関係性を作り出すってことだから、成果物が絵とか彫刻みたいな物質じゃなくて場で……。

 あ、場を作ることが大事！ プロセスが大事！ってこと？

 そういうこと！

 何となくわかった、ことにしとく！

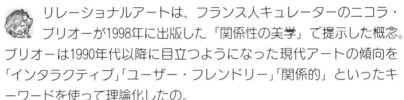 リレーショナルアートは、フランス人キュレーターのニコラ・ブリオーが1998年に出版した『関係性の美学』で提示した概念。ブリオーは1990年代以降に目立つようになった現代アートの傾向を「インタラクティブ」「ユーザー・フレンドリー」「関係的」といったキーワードを使って理論化したの。

 仲良くなろうぜ、みたいな感じなのかな。

 アートマーケットが巨大化し、YBAの作家たちのように高額で取り引きされる現代アートの動向とは違った領域を作り出したの。鑑賞者と作品、あるいは鑑賞者どうしの「関係性っていうコミュニケーションそのものが芸術作品として成立する」っていうのはかなり新しい流れだよね。

 新しすぎる……！ どんな作品があるのか見当もつかないや。

 リレーショナルアートと言えば、というくらい代表的な作家が、リクリット・ティラヴァーニャ。発音が難しくて、ティーラワニットとかティラヴァニとか表記されることもあるの。ティラヴァーニャと呼ばれることが多いけど、ギャラリーの公式表記では、ティラヴァニ。

 どんな作品を作った人なの？

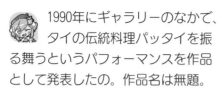 1990年にギャラリーのなかで、タイの伝統料理パッタイを振る舞うというパフォーマンスを作品として発表したの。作品名は無題。

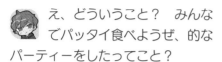 え、どういうこと？　みんなでパッタイ食べようぜ、的なパーティーをしたってこと？

《untitled 1990 (pad thai)》

 うん。ギャラリーには作品も何もなかったんだ。オープニングパーティーで作家本人が屋台でパッタイをふるまったんだけど、それ以降はパッタイパーティーが終わった状態で放置されていただけ。

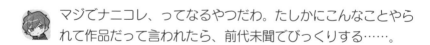

いや、説明されても何それとしか言えない……。

コミュニケーションの場を作る、コミュニケーション自体を作品としたってことかな。普段日常的なモノも芸術になり得ることを示したわけ。ちなみに、作品のマテリアルとして、大勢の人やタイカレーのレシピなどと書かれているの。

マジでナニコレ、ってなるやつだわ。たしかにこんなことやられて作品だって言われたら、前代未聞でびっくりする……。

ティラヴァーニャ（ティラヴァニ）はタイ人の両親のもと、アルゼンチンで生まれたんだけど、父親が外交官だったから、さまざまな国や地域を渡り歩いて、その中で多文化について学び、アートを通して非言語コミュニケーションに対する関心を育んだと言われているの。パッタイをふるまったのも自分のルーツがタイだったからなんだって。
　ちなみに、この後も料理やテーマを変えながらギャラリーの中で人と何かする、という作品を作り続けるの。

たとえば、「ビューティー」はガスコンロのメーカーの名前で、このガスコンロで調理した食事の残りが展示されたの。同様に、絵画教室のようなものを開催し、その様子とそこで創られた作品も一緒に展示されてるよ。

《untitled 1994 (Beauty)》

 それ全部が作品ってこと？

 そういうこと。

 な、なるほど……！

 日本で開催した際は焼き魚と梅干にするなど、土地に応じて出すメニューを変えているんだよ。ギャラリーの中でこんなことをした人はいなかったから、すごく新しかったし、多文化主義などが出てきた時期で注目されたの。

 ギャラリーに来た人とのコミュニケーションかー、たしかにおもしろいし新しいけど、ティラヴァーニャ（ティラヴァニ）以外にもこんな場を作るタイプのアーティストがいたってこと？　特殊だったわけじゃないの？

 他にもいるよ。たとえば、台湾生まれのアーティスト、リー・ミンウェイ。森美術館で個展も開催したことがあるから、知ってる人もいるかもしれないね。
　2014年に森美術館でやったパフォーマンス《プロジェクト・繕う》は、観客が持ち寄った古着や布を作家やホストが修繕しながら、その間にコミュニケーションを交わし、繕われた衣服は壁に設置された糸巻きに接続され、壁面に広がっていくっていう作品。

 これも場を作ってるね。

これまでのアートって、ちょっと特別感あったと思わない？

 うん。非日常感っていうか、ギャラリーとか美術館はアートを見る特別な場所って感じがする。

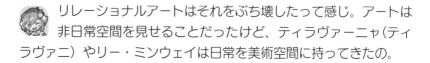 リレーショナルアートはそれをぶち壊したって感じ。アートは非日常空間を見せることだったけど、ティラヴァーニャ（ティラヴァニ）やリー・ミンウェイは日常を美術空間に持ってきたの。

 鑑賞者が参加しないと作品にならないから、鑑賞者込みでの作品っていうのも新しい気がする。

 コミュニケーションとか目に見えないものをアートにするっていう点ではコンセプチュアルアート的な部分もあるし、これまでのアートの文脈から考えても、たしかにアートとして理解できるものなのよね。

 そう言われたら納得感あるし、わからなくもない！今まで勉強してきた甲斐があったわー。

 でも、これに対して批判的な批評も出てきたの。

 わけわからんわ、的な批判？

 そこはわかったうえで批判だよ。

 わかったうえ、で、となるとどんなことだろ……？

 美術史家のクレア・ビショップから、「内輪ノリで社会批評性がない」などの批判が提示されたの。

 どういうこと？

たとえば、ティラヴァーニャ（ティラヴァニ）のリレーショナルアートは関係者しか来ない内輪ノリで外に向けられていない、っていう批判。来てほしい人だけでできているコミュニティでしかないし、仲間うちで楽しんでいるだけだし、それって意味あるの？と。一見開かれているように見えるけど排他的だって言ったわけ。

まぁたしかに、ギャラリーでパッタイ食べられるって言っても、普通の人はふらっと入ろうかなってならないし……。関係者とかアート好きが集まったんだろうなぁって想像できるわ。

もっと言うと、「もしパーティしてるときに居場所を求めてホームレスが入ってきたら追い出すでしょ？　嫌なものは排除する内輪ノリだし、見たくないものは見ないでしょ？」とまで言ったの。

なるほど……。じゃあ、ビショップはどういうアートが良いって言ったの？

そこで出てきたのが、ソーシャリーエンゲージドアート。まだ新しい概念だから定義はいろいろだけど、作品やプロジェクトを通じて、特に緊急性の高い社会的・政治的問題にアプローチする芸術実践という感じかな。さっきのホームレスの問題だと、そうした排他的になりがちな問題をむしろ扱う、というのがソーシャリーエンゲージドアート。
　形のない場を作品としたリレーショナルアートの系譜を引き継ぎつつ、主に美術館やギャラリーの外で、人々と交流しながら交わりながら社会的・政治的課題にアプローチするようになったの。「参加型アート」って紹介されたりもするね。

リレーショナルアートはどうなったの？

2000年代初期に批判的な意見が出たんだけど、それ以降は批判的な人が増えて、現状はほとんどソーシャリーエンゲージドアートが主流になってるし、今も色んなアートが発表されているよ。

じゃあ、ソーシャリーエンゲージドアートは、今の最先端に近いジャンルってことか。

 そゆこと！

 どんなアーティストがいるの？

 紹介したいアーティストは、ペドロ・レイエス。《ピストルをシャベルに》という作品が有名なの。銃犯罪の多い地域で集めた拳銃を溶かした鉄でシャベルを作って、それを使って、地域の人々と一緒に植樹作業をしたの。死を連想させる銃が、命の象徴でもある木に変化する、っていう詩的なメタファーを通して人々に訴えかけると同時に、実際に拳銃を集めてしまうという実用的な社会改良のアクションも含んでいるのがおもしろいよね。

 たしかに、社会問題に関わっていってるし、参加した人もその問題を考えるね。

 リレーショナルアートとちょっと違う感じ、わかった？

 うん！

 日本人だと加藤翼の大きな構造体を引き倒したり、引き起こしたりするシリーズがおもしろいよ。たとえば、2011年の《The Lighthouses – 11.3 PROJECT》。東日本大震災の後、福島県いわき市で瓦礫の撤去作業にボランティアとして参加した加藤翼は、家を失った家主たちから大量の木材をもらったの。で、それを灯台の形にしたものを2011年11月3日に約500人で力を合わせて引き起こした、っていう作品なんだけど、これがきっかけでこのプロジェクトは復興を目指す地域の祭事へと発展したんだよ。

 おもしろいね！　社会とアートが繋がってる感じがする。

せっかくだから、あと一人紹介したいアーティストがいるんけど……。

 聞きたい！

 タニア・ブルゲラっていうキューバ・ハバナ生まれのアーティスト。「有用芸術（アルテ・ウティル）」を掲げて、芸術による政治・社会的変革を試みる取り組みが注目されているの。

 芸術で社会を動かそう、的なこと？

 うん。たとえば《イミグラント・ムーブメント・インターナショナル》(2011~2015)っていうのが有用芸術概念をよく表す代表作で、ニューヨークのクイーンズに移民のためのコミュニティ・センターを設置したんだよ。

 どういうこと……？　コミュニティ・センターを、設置……？

 周辺の美術館や社会活動を支援する団体と連携しながら、移民にとって死活問題となる法律に関するレクチャーやDV問題への対処法などと同時に、美術史の講座なども無料で開講したの。

 ん、講座を開講……？　センターを作って講座を開くってどういうこと……？　疑問で頭がいっぱい……。

 それってアートなの？っていう疑問が一番大きいよね。ブルゲラの行為は「ソーシャル・プラクティス」と呼ばれているよ。アートなどの言葉をあえて標榜しない実践として論じられることも多いの。美や崇高といった従来のアートが追求してきた概念じゃなくて、政治的に有用であるか、社会の変革に寄与するかどうかが重視されているよ。

アートじゃなくて、社会活動って感じがするんだけど、何でブルゲラの活動はアートって分類されてるの？　別にアートじゃなくて、こんな活動をしている人がいます、っていうだけでもいい気がする。

 難しい部分だよね。同じような活動をしているボランティア団体やNPOがあったとして、それがアートなのかって言われると違う気はするよね。

 うん。

 アーティストがやってるから、というのは一つの回答かもしれないけど、アートかアートじゃないかを分ける一つの要素は、視覚的要素への意識の違いだと思うの。

 視覚的要素……？

 ブルゲラにはイミグラント・ムーブメント・インターナショナルのように公共空間で行う実践もあるんだけど、美術館やビエンナーレで作品を発表したりもしてるの。公共空間での活動であっても、人々の目をひきつける要素への意識は見てとれて、それがより多くの人を活動に巻き込むことに繋がってるんだよ。

 なるほど……。見てもらうことを重視してんだね。

 視覚的に印象深い資料がたくさん残されてて、活動として結果を出すことはもちろん重要と考えていたと思うけど、見られることを前提にどうやって見る人に訴えていくのか、っていうところが作品と言える所以だと思う。

 なるほど……。

移民難民問題、人種差別、セクシャル・マイノリティ、環境危機など、今世界が抱える緊急の問題にアプローチするのに、現代アートは有効な手段となる可能性が示されたわけ。

でも、やっぱりそれってアートなの？っていう疑問はあるなぁ。政府とか行政がやるべきことなのでは？とも思うし、研究者がリサーチするような内容だとも思うし、視覚的要素を重視してるからアートって言われれば納得はするけど、なんか違和感もある……。

アートにしかできない表現があるし、問題解決のきっかけを作ることができるっていうのは　つあるよね。ただ、美的要素を無視、あるいは軽視しているという批判は結構あるの。社会的な側面を重視しすぎて、アートとしては完成度が低かったり、美しくないものが散見されるという批判だね。

社会的には正しいけど、アートとしてはつまらないってこと？

うん。コンセプチュアルアートから派生して、どんどんアートの領域を広げる中で、あまりに広げすぎて何でもアートになってしまっているのではないか、っていう意見があるの。さっきがっくんがアートなの？って感じたことに近いかもね。
　ただ、アートが人の感性に働きかけるような根本的な部分に立ち返る指摘が出てきたことに対しては、モダニズムへの回帰だという批判もあって難しいのよね……。

たしかに、アートとは何かって問いからスタートして現代アートが色んな表現を生み出してきたのに、結局美しさに戻るのも何か変な気がする……。

そのへんは実際に作品を見ながら、自分がどう感じるか体験していくのがいいと思うよ。今後も色んな形で作品が生まれるジャンルだから見ていくとおもしろいよ。

今日の回はなんかいつもと違う頭を使った気がする（笑）。

 現代アートの「現代」って部分をより感じられる回だったからかもね。

 わけわからん、って思うより、こうやってちょっとだけでもわかった方が美術館に行っても楽しめるね！

 でしょー！　さて、次回は今回とうってかわって、現代アートのもう一つの側面でもある、マーケットを中心とした回です。

 振れ幅がすごい！（笑）

 それもまた現代アートの醍醐味、だね。

今日のまとめ

1970年代 ──────────────── 現在

マルチカルチュラリズム（多文化主義）

オリエンタリズムに対する考えのもと**欧米以外に**視野が広がる！

代表的展覧会
「大地の魔術師たち」
@ポンピドゥー・センター
非西洋を西洋と同等に扱う！

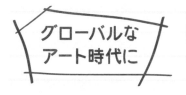

グローバルな
アート時代に

異文化理解、他者との関係性…

リレーショナルアート

コミュニケーションの場を作品に

代表作家
**ティラヴァーニャ
リー・ミンウェイ**

日常を美術空間に持ってきた

**ソーシャリー
エンゲージドアート**

緊急性の高い社会的・政治的問題にアプローチ

代表作品
《The Lighthouses-11.3 PROJECT》
《ピストルをシャベルに》

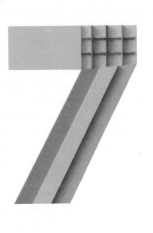

第 7 章
現代アートの台頭
—— YBA、シミュレーショニズム、ネオ・ポップ

次は、6章で話したリレーショナルアートと同じ頃に盛り上がっていたもう一つのアート界の動きについて話したいです。

もう一つの動き？

うん。この頃、実はアートマーケットで高額で取引される作家たちが出てきた時期でもあるの。

どうやって売るのかよくわからないリレーショナルアートと正反対ってこと？

うん、ほんと対極にあるような感じだよ。

なるほど……。お金が絡むのは興味あるなぁ。

ニュースになったりもするし、知ってる内容もあるかもね。

そうなんだ。

まずはYBAから話そうかな。

YBA って何かの略なの？

うん、Young British Artistsの略称だよ。

ブリティッシュってことは、イギリスあたりの話ってことか。

そのとおり！ 1980年代後半にロンドン大学・ゴールドスミス・カレッジを卒業したアーティストを中心に、1990年代のイギリスを席巻したの。ダミアン・ハースト、リアム・ギリック、レイチェル・ホワイトリード、トレイシー・エミン、ダグラス・ゴードン、あとロイヤルカレッジ出身のクリス・オフィリなどなど。

スターの世代って感じなのかな。

 スターというか、悪童たちというか……。今でこそゴールドスミスは有名な大学なんだけど、大学があったニュークロス付近は当時治安がかなり悪くて夜一人でバスに乗るのも危ないような場所だったらしいの。でも他の美大より学費が少し安かったり、名門ではなかったこともあって入りやすかったりとメリットもあって、あえてそういうゴールドスミスに行くっていう、才能のある悪童たちが集まったという背景もあったのかも。

 悪童ってことは、結構やんちゃ系なのか。

 うん。セルフ・プロデュース術に長けていて、マスコミで注目されるような展示を続けることで話題を集めたの。露悪的で鑑賞者にショックを与えるスキャンダラスな作品が多いんだよね。1997年に話題を集めた「センセーション」展っていう展覧会があるんだけど、そこで展示された作品は、インパクトすごい系は多いけど、実はまとまったイデオロギーや特徴はないんだよ。

 え、じゃあ何でグループになってるの？

 端的に言うと、売れるためとか展覧会をやるため。実利的な目的でまとまっていたの。アーティストとして有名になることをはっきりとした目的の一つに据えた作家の集まりって感じ。

 そんなパターンあるんだ！　批評家とかがグループ化したわけじゃないんだね。今までのムーブメントと違って、新鮮でおもしろい！

 自分たちで展覧会を企画したり、広告業界の大物で著名コレクターのチャールズ・サーチをスポンサーに起用したりと、プロデューサー的な才能もあったの。

で、実際に売れたんだよね？

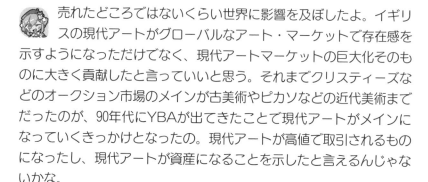 売れたどころではないくらい世界に影響を及ぼしたよ。イギリスの現代アートがグローバルなアート・マーケットで存在感を示すようになっただけでなく、現代アートマーケットの巨大化そのものに大きく貢献したと言っていいと思う。それまでクリスティーズなどのオークション市場のメインが古美術やピカソなどの近代美術までだったのが、90年代にYBAが出てきたことで現代アートがメインになっていくきっかけとなったの。現代アートが高値で取引されるものになったし、現代アートが資産になることを示したと言えるんじゃないかな。

 へぇー。

こうした巨大アート・マーケットとは異なる動きのリレーショナルアートとYBAは同時代の二極化された動きって覚えておくといいかもね。

 売れるために集まったって言って、実際に売れたってホントすごいわ。

時代にも後押しされたのも大きかったのかも。コンセプチュアルアートの反動で1980年代に絵画回帰が全世界的に目立った後っていうのもあるし、サッチャーの政策によって経済が停滞していたので、自国のアーティストたちを中心にマーケットで売れていくというのは明るいニュースで国によっても後押しされたの。

 結構インパクト強い作品だったのに、みんなウェルカムだったってこと？

 うーん、実際は賛否両論だったの。動物を作品に使用したり、犯罪者を作品のモチーフに使うことへの倫理的批判の声も多か

ったし。でもYBAのアーティストは叩かれても折れないし、むしろそれを追い風に変える強いメンタルを持ってたから、話題になったらOK、くらいの気持ちだったんじゃないかな。

 メンタルタフネス！

批評家が褒めたというよりは新聞とかマスコミがポジティブに取り上げる傾向があったみたいで、取り上げられる数も多かったんだよね。

いわゆるバズったって感じかー、インパクトのある展示をする→話題を集める→良くも悪くも注目される→またインパクトある展示をする、っていうサイクルをずっと続けられたバイタリティもすごいね。

うん。イギリスで話題になった後、アメリカでも巡回展をやって知名度を高めていったんだけど、知名度が上がったことでその後、世界各地の美術館でYBAの作家を含むイギリスの現代アーティストを主題にした展覧会が開催されるようになったの。日本だと森美術館で開催された「ターナー賞の歩み展」もその一例。目立つことをやり続けるプロモーションが成功した結果、美術館でも巡回展ができるようにアカデミックの世界でも認められたってことかな。

 デュシャンとかウォーホルもそうだったけど、セルフプロデュースって大事なんだね。

 YBAはうまくいった例だねー。じゃあ、YBAの代表的な作家とその作品を少しみていこっかな。

 おねしゃす！

まずは何と言ってもダミアン・ハースト。サメのホルマリン漬けや牛の剥製を使用したグロテスクな立体作品が有名だよ。

 すごいインパクトがすごいね。

 生死への関心が強かったハーストは、解剖や人間や生物の死に興味と魅力を抱いていたんだって。だから、ホルマリン漬けや剥製を作品として用いることは必然的な選択だったのかもしれないね。ハーストの作品は死を忘れるなという意味の「メメント・モリ」という観点から語られることもあって、人間は死と隣り合わせということを感じさせるよね。あと……、鑑賞者に驚きや不快感を与えたいという気持ちも強かったんじゃないかなと思う。

 さっき言ってた話題を集めるっていう話かー。

 話題を集めるっていう意味でぴかーだったのが、ダイヤモンドを散りばめた頭蓋骨《神の愛のために》(2007年)っていう作品。8000個以上のダイヤモンドが使われてるんだって。

 すご！

 制作費はなんと約33億円、で、オークションでは約120億円で落札されたの。

 制作費も落札額も衝撃的すぎ……。

 これもメメント・モリで、死を想起させる頭蓋骨に、生や欲望の象徴であるダイヤモンドを散りばめて、それらが裏表の関係にあることを暗示している、って読むこともできるけど、ぶっちゃけ目立つものを作りたい、びっくりさせたいというのが本音なんじゃないかなというのが私の意見(笑)。

たしかにそういう思惑もありそう……。

 ハーストはアートマーケットで売れることで成長していくっていう現代アーティスト像のモデルケースとなったの。これまでもセルフプロデュースに長けたアーティストはいたけど、ハーストは自分のキャラだけじゃなく、マーケットも作っていった初めての存在と言えると思う。

 ビジネス的な才能もあったんだ。

 ハーストと同じようにスキャンダラスな作風で話題を集めたもう一人の作家が、トレイシー・エミン。《マイ・ベッド》では、寝たきりのままだった長い鬱病期の自身のベッドをそのまま展示したの。当時は酒浸りだったので空の酒瓶がたくさんあったり。シミや食事の跡、避妊具などもそのまま展示されていて、あけすけなプライベートを作品として出すのはどうなのか、性的なものをそのまま出すのはどうなのかとか批判が集まったけど、同時に有名になったの。

 折れない心、さすが！

 白人男性中心のアート界の中で女性視点のスキャンダラスな作品は珍しかったっていうのもあったと思うよ。

 アフリカにルーツを持つブラックアーティストのクリス・オフィリもおもしろい作家。象の糞を使って、黒い肌の聖母マリアを描いてポルノ画像から切り取った女性のお尻などの画像を絵の周りに貼った作品は、当時のニューヨーク市長ジュリアーニから展示を拒否されたことでも一躍有名になったの。

 なんで象の糞を使ったの？

象の糞がオフィリのルーツであるアフリカを象徴してるって言えるかな。まわりに置かれているポルノ画像の切り抜きも、扇情的なエロのイメージとしてではなく、母性や多産を象徴するイメージとして理解するのがいいのかも。

さらにこのあと人種差別に抗議する作品《No Woman, No Cry》（1998年）も制作し、イギリスで最も現代アートで権威のあるターナー賞をブラックアーティストとして初めて受賞していたんだよ。

批判も含めて話題を集めつつ、アカデミックな世界でも結果を出してたってことかー。

最後にリアム・ギリックも覚えておくといいかも。

どんな作家なの？

センセーショナルなやり方をするアーティストが多かったYBAの中で、ギリックは知的でコンセプチュアルな作品を一貫して制作してきた点がユニークなの。第53回ヴェネツィア・ビエンナーレにドイツ館代表作家としても参加したよ。

YBAが同じ傾向の作家の集まりじゃなかったって、よくわかるなぁ。

ギリックはある場において議論や対話のプラットフォームを創出する作品を作るので、この前話したリレーショナルアートの作家として紹介されることも多いよ。

そうなんだ。YBAとリレーショナルアートっていう対極で紹介されるっておもしろいね。

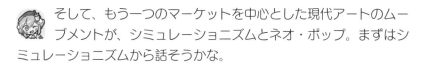 そして、もう一つのマーケットを中心とした現代アートのムーブメントが、シミュレーショニズムとネオ・ポップ。まずはシミュレーショニズムから話そうかな。

 難しそうな用語……。

 実はこの用語、日本の美術批評家椹木野衣が考案した用語なの。海外では「アプロプリエーション・アート」って呼ばれることもあるよ。

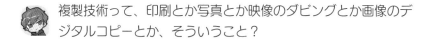 アプロプリエーションって英語?

 うん、流用とか盗用とか訳せる英語。何か元になる作品や資料があって、それを使って作品を作るの。複製技術がどんどん発達して、さまざまなものが氾濫するようになったことから出てきたムーブメントと言われてるよ。

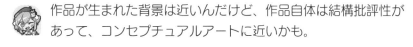 複製技術って、印刷とか写真とか映像のダビングとか画像のデジタルコピーとか、そういうこと?

 うん、まさに。同じイメージが世の中に大量に出回るようになったのをうけて、現実世界にあふれる記号や既存のイメージをサンプリングし、カットアップし、コラージュすることで再構成し、新しいイメージを作り出すっていうのがシミュレーショニズム。

なんかポップアートに近いのかな。

作品が生まれた背景は近いんだけど、作品自体は結構批評性があって、コンセプチュアルアートに近いかも。

たとえば?

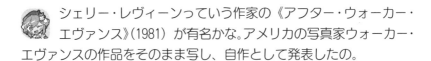 シェリー・レヴィーンっていう作家の《アフター・ウォーカー・エヴァンス》(1981) が有名かな。アメリカの写真家ウォーカー・エヴァンスの作品をそのまま写し、自作として発表したの。

 写真を写真で撮影して作品だ、って言ったってこと？　パクリじゃないの？

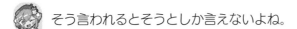 そう言われるとそうとしか言えないよね。

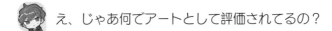 え、じゃあ何でアートとして評価されてるの？

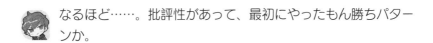 別人の作品をそのまま自分の作品として提示すること、をアートの手法として最初に提案したことがめちゃくちゃ重要だったから、かな。あと、80年代後半以降複製技術が格段に進歩して、グローバル化も加速した時代を背景に、何がオリジナル？　何がコピー？っていう批評性を備えている作品っていうことが評価を高めていると言えるかな。レヴィーン以降、現代アートの領域でまったく同じことをしても二番煎じになるよね。

 なるほど……。批評性があって、最初にやったもん勝ちパターンか。

 レヴィーンは他にもアフターデュシャンとかアフターなんちゃらってアーティストの名前が入ったシリーズがいろいろあるから、調べてみたらおもしろいよ。

りょ！

次はシンディー・シャーマン。シャーマンは自らを被写体として、広告などに出現する女性になりきって写真に写る、っていう作品を出してるの。

おもしろいね。なんか顔ハメパネルでなりきってるみたい。なんでこれがアートなの？

 広告の中の女性を演じることで、その女性が広告の中でどのように見られているかを見ている人に認識させるの。たとえば純粋で無垢な存在のように見えたりするんだけど、それって社会一般が持っている男性的なまなざしじゃないか、って明らかにしたわけ。

 なるほど……。たしかに、広告写真だと意識的に見ない部分をシャーマンがなりきっていることで違和感を覚えながら見るから気付かされるわけか。

 こうしたシミュレーショニズムの作品は、当時世界的に評価され認められた哲学者ジャン・ボードリヤールの思想と紐づいていたの。

 ボードリヤール？

 『象徴交換と死』(1976) や『シミュラークルとシミュレーション』(1981) などの著作で、今日の消費社会では本物＝オリジナルと偽物＝コピーという二項対立が消滅しつつあると主張して、現実に即応した、実体を欠き複製としてのみ存在する記号を「シミュラークル」と名付けたの。シミュラークルが氾濫する現代社会を、ボードリヤールは「シミュレーション社会」と名付け、虚構と現実の区別がなくなっている社会のことをハイパーリアルと呼び、その中で今の人は生きていると考えたわけ。

 ん……？ たまに発生する、難しいことを一気にまくしたてられる時間が来たね……。もうちょっとわかりやすく教えてくれる？

 複製技術やテクノロジーの急速な発展でコピーが簡単になると、コピーがいっぱい増えるじゃない？

うん。

 そしたらコピーされたものでも満足できたらオリジナルが何か
わからなくても別にいっか、ってならない？

 オシャレなポスターがあって気に入ったら元ネタ知らなくても
気にならない、的なこと？

 そんな感じ。

 たしかに。本物じゃない複製品でもそんなもんかなって思って
るわ。

 昔はオリジナルにはオリジナルにしかないオーラがあったけど、
今はオーラがなくなっているって言われたのよね。

 まぁ本物見たら本物すげぇってなるけど、よくできているコピ
ーもあるもんね。しかも自分にとってはそれが身近に存在する
ものだから何か現実感あるし。

 そんな状況がどんどん進んだ社会がハイパーリアル。最近話題
になってるものが、まさにハイパーリアルだと思うよ。

 最近話題のもの……？

 私はメタバースってハイパーリアルだと思うの。仮想空間の中
でアバターを使って行動していて、一方でリアル世界でも生活
しているわけじゃない？　でも、仮想空間とリアル空間に差はないで
しょ、って感じる人が出てきてるから話題になってる気がするの。まさ
に虚構と現実が一体となってる。

 たしかに……。今生きている社会をちょっと先取りしてたって
感じかも。

もう一つのネオ・ポップは、大衆消費社会への批評性を含んだ一連の作品をさすことが多いよ。ポップアートに由来するマンガ、アニメなどのサブカルチャーのイメージを転用したり、またシミュレーショニズムの哲学を援用してるの。1990年代日本を中心とした現代アートの動向がまさにネオ・ポップと言われていて、日本の現代アートが世界的に知られる大きなきっかけの一つとなったんだよ。代表的なのは村上隆、奈良美智かな。

2020年から21年にかけて東京の森美術館で開催されたSTARS展で展示されてた作家だよね。話題になったから覚えてるわ。

たぶん見たら、あーこの作品か、ってなると思うから検索してみて。

りょ！　ちなみに、海外にはネオ・ポップの作家はいないの？

海外のネオ・ポップ作家と言えば、ジェフ・クーンズだね。

聞いたことある！オークションでめちゃくちゃ高かった人？

そうそう。ウサギの彫刻が2019年に約100億円で落札されて、ニュースになったから知ってる人も多いかも。

あれはびっくりしたわ……。でも、どんな作家なのかは全然知らないや。

クーンズの代表作はバルーン・ドッグ。これって何がモチーフかわかる？

大道芸人とかが風船で作るやつ？

うん。アメリカだとかなり日常的なもので、日本だと縁日で売られているお面くらいありふれたもの、って感じかな。こういう身近なものを「高級な現代アート」に落とし込んだのがバルーンシリーズ。ポップ・アートって低級とされていたサブカルやロー・カルチャーをハイ・カルチャーとされていた現代美術の素材として使ってたじゃない？　クーンズの場合も同様に、非日常性を求められがちな現代アートに日常的なおもちゃみたいなものを持ち込んだわけ。

 それだけでそんなに評価されたの？

 ただ作るだけじゃなくて、めちゃくちゃお金をぶち込んで作ったの。ステンレスなどの高級素材でできていて、まねしようとしてもなかなかできないお金のかけ方なのよね。そのあたり既存の常識を覆した感あるよね。

 これ、ステンレスなんだ……。ステンレスでこんな曲線出せるってすごいね……。

 クーンズの作品は、常に超高値で取引されてきたの。完全に分業作業で、数十人のアシスタントをフル回転させて作ってるんだって。

 商品を作ってる感覚なのかな。

 一方で《Three Ball Total Equilibrium Tank》っていうバスケットボールが水に浮かんでいる作品とか、ダイソンの掃除機をショーケースに入れた作品もあって、これらはネオ・コンセプチュアリズムを代表するものに数えられ、制作する作品の幅がかなり広いんだよね。

 こっちは売れ線って感じがしないね。

今回はネオ・ポップの作家として紹介したけれど、コンセプチュアルアーティストとして紹介もできるし、その幅の広さゆえに評価が分かれているの。

　ただ、総じて言えるのはメディアを利用するのがうまいってこと。幼少期からダリに強い憧れを抱いていたこととも関係ありそうなんだけど、妻のイタリア人ポルノスター、チチョリーナとコラボした「メイド・イン・ヘブン」シリーズはスキャンダルを利用してメディア露出を増やしたり、自分自身も映画に出演して制作過程を見せたり、知名度を高めたりセルフプロデュースするタイプの作家だから、幅の広さも作家性としてプラスに働いているのかもね。

 YBA、シミュレーショニズム、ネオ・ポップ、リレーショナルアートは同じくらいの時期のムーブメントなんだね。

 現代アートのマーケットが伸びて売れるアートが注目された一方、場を作品として発表するような、これまでになかった現代アートが出てきたという点では可能性も広がったわけだから、とても重要な時期だったと思うよ。

 しかも生きてる作家が多いから、今も作品が発表され続けてるんだもんね。

 まさに現代アートって感じでしょ。

 たしかに！

今日のまとめ

同時代のアート界

リレーショナルアート	←対極→	巨大アート・マーケット
…人とのコミュニケーションが作品		

YBA 有名になるための作家の集団
セルフプロデュースカ

19997年センセーション展
現代アートが高額取引されるきっかけに！

代表作家・作品

ダミアン・ハースト　トレイシー・エミン　クリス・オフィリ　リアム・ギリック

3大オークション会社

クリスティーズ　　**ササビーズ**　　**フィリップス**

コレクター
ロバート・スカルの
コレクション

世界最古

今だと15億円
以上の売上!!

 スカル・オークション

オークションで近代アートが高くなったきっかけ！

オークションの中心

近代美術　　　　　**現代アートに！**

他にも…YBAのハーストが開催

「Beautiful Inside My Head Forever」

1人の作家で
史上最高の売上！

この時代に培われてきた今でも大事な現代アートの要素

①マーケットで売れること
②アカデミックな世界で評価されること

第 8 章 現代アートの最前線

現代アートの歴史を話してきたけど、だいぶ現代まで来たね。

 そうだね、長かったような短かったような……。

 今の現代アートが、デュシャン以降の色んな経緯があって存在してるっていうのがわかってきたわ。

 がっくん、めっちゃ吸収してくれてて嬉しい！

 美美の話を聞くのが好きだから……。

 ……。

 あ、そんなに深い意味は、ないよ……。

 ……さて、今回は時代や歴史というよりは、今まさに現代アートの世界で取り上げられているテーマについて解説したいと思います。

 テーマ？

 うん。表現手法によるムーブメントは結構出尽くした感じがあって、最近はムーブメントというよりはテーマとか着目されているジャンルで分けられることが多いの。現代アートは時代を映す鏡とも言われていて、社会的な課題とも結びついているんだよね。

 なるほど。マルチカルチュラリズムのときもそうだったもんね。

 あのとき、非西洋のものをちゃんと評価できていない、っていう話をしたでしょ？

 うん。

今回は非西洋的な要素以外で、それまできちんと評価されていなかった2つの部分について話をしようと思います。

なんだろう……。

まずは一つ目。実はデュシャンの回で少しだけ触れてたんだけど、覚えてる？「泉が実は……」みたいな話。

女性から託されたアイデアだったのではないかっていう説のこと？

そう。当時女性のアーティストが大々的に活躍できるような環境ではなかったというのが背景にあるのでは、と言われているの。

女性の作家は正当に評価されてこなかったってことか……。

うん、それが一つ目だね。リンダ・ノックリンの「なぜ女性の大芸術家は現れないのか？(Why Have There Been No Great Women Artists?)」(1971年)っていう有名な論考があって、「可能性やいわゆる才能天分がどれほどあっても（略）男性と同等の立場に立って、女性が芸術上の成功をおさめたり、他に抜きん出たりするのは不可能だった」ということを実証的に示したの。

才能があっても女性っていうだけで成功するのは難しかったってこと？

そういうこと。たとえば、昔女性はヌードデッサンに参加できなかったの。ヌードを含む人物画や歴史画は当時の画家たちにとって最も重要な分野だったんだけど、女性はヌードを描く技術を磨く機会がないからうまくなれなかったの。

神話の絵って裸多いもんなーうまくなれないなら、画家として食べていけないね……。

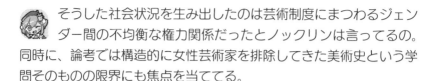

そうした社会状況を生み出したのは芸術制度にまつわるジェンダー間の不均衡な権力関係だったとノックリンは言ってるの。同時に、論考では構造的に女性芸術家を排除してきた美術史という学問そのものの限界にも焦点を当ててる。

たしかに、これまで紹介してくれた作家もほとんど男性だったもんね……。女性がアーティストとして活動しにくい歴史がずっと続いてきたのかな。なんでこういう論考が出てきたの？

うーん、こうした批評や論文を発表する研究者に女性が少なかったという背景もあるかもしれないね。そういう意味でもアート界は男性社会だったんだと思うよ。

じゃあノックリンの論考は、目新しさがあって注目されたの？

うん。論考が日本語に訳されるのって結構遅いケースが多いし、何なら訳されないこともあるくらいなんだけど、この論考は5年後に日本で翻訳されたものが読めるようになったほど世界で広まって、フェミニズムの視点から美術史を批評するフェミニストアートヒストリーという分野が生まれたの。

そうなんだ。

現代アートの歴史がある意味意図的に欧米・白人・男性で構成されてきたことが明らかになったの。たとえば、エルンスト・ゴンブリッチの『美術の物語』（1950年）のような美術の教科書とされる本に女性や黒人がほとんど入っていない、みたいな、ね。で、こうした問題点を明らかにするようなアーティストが出てくるの。

なるほどなるほど。

まずわかりやすくて知名度が高いところだと、ゲリラ・ガール

ズ。ニューヨークを拠点に活動する女性アーティストらによって1980年代に結成されたアーティスト集団で、美術界に蔓延する男性中心的構造をアクティビズム的手法で告発したの。

Guerrilla Girls, 《Do Women Have to be Naked to Get Into the Met. Museum? 》（1989）

 アクティビズムって何？

 具体的に行動を起こして、世の中を変えていこうっていうことかな。

 行動派ってことね。

 《メトロポリタン美術館に女性が入るには裸じゃないといけないのか?》(1989年)って題されたポスター作品が特に有名だよ。

 どういうこと？

 この作品には「近代美術部門の作家に占める女性の割合は4%に満たないが、裸体画の76%以上は女性である」っていうキャプションが付けられてたの。

 女性は見られる側でしかなく、作る側の女性作家が全然いないっていう問題を指摘したってことか。

 さらに言うなら、美術館の作品がそういう構成になってるって

ことは、美術館自体もいびつな現状を認めてるってことじゃないの？
それもおかしくない？　っていう批判とも考えられるよね。

 考えさせられるし、痛烈なメッセージだね。

 アートを通じて、これまで目が向け
られてこなかったところに焦点をあ
てる作品が多いんだよ。

　次に紹介したいのはスザンヌ・レイシー。
レイシーの《五月の三週間》(1977年) は、
ロサンゼルス市内で発生した性的暴行事件
を地図上に視覚化していくプロジェクトで、
期間中にパフォーマンス、レクチャー、ワ
ークショップなども開かれたの。

A 《Three Weeks in May Bologna》

B 《Three Weeks in May graffiti project》

C 《Three weeks in May map close up》

D 《recreation in Milano》

E 《Three weeks in May map》

この前やった「ソーシャリーエンゲージドアート」みたい。

 そうだね、ソーシャリーエンゲージドアートに大きな影響を与えたって言われているよ。当時のアメリカ社会では、こうした問題がメディアや公の場で議論されることはほとんどなかったんだけど、レイシーはアートを利用して、性をめぐる社会問題について討論することができるプラットフォームを創出しようとしたわけ。

 アートを通じて社会に訴えかけていくってことね。

 「個人的なことは政治的なこととして、性的被害の問題やDVの問題など女性個人の問題が社会全体の問題に繋がっている」という当時のフェミニズム運動とも繋がっていて、とても重要なの。理論家で、自分で論文を発表するレイシーは、後に、場の歴史的・社会的文脈と結び付けたパブリック・アートの実践を「ニュージャンル・パブリック・アート」と名付けて理論化して、新しいアートの取り組みとして確立したの。

 先駆者というか、こういう人たちの行動が続いた結果、だんだんと社会が変わってきたんだろうなぁ。

 そうだね。時間はかかっているし、まだまだ途中と言われているけど、少しずつ変わってきてるよね。
　女性の労働に注目したアーティストとしてミエーレ・レイダーマン・ユークレスも紹介するね。

 労働ってどういうこと？

 大きく分けると労働には発展と維持という2種類がある、とユークレスは言ったのね。で、女性は家の中で維持を担う家事をやってきたけど、家事は労働としてずっと軽視されてきた、と。

たしかに……。

 そういう維持する労働をメンテナンスと呼んで、メンテナンスをアートの領域まで持って行こうとしたの。

 美術業界にも軽視されてる維持に関する労働があったってこと？

 そういうこと。ユークレスがニューヨークのホイットニー美術館で発表したのが、この作品。《私は一日一時間メンテナンス・アートをつくる》(1976) という作品で、超高層ビル内の清掃や管理を担う作業員に参加を促し、一日の労働時間のうち一時間を芸術制作に割り当ててもらったの。で、その一時間で作業員がした日常的労働行為を記録して、芸術作品として展示したの。

 ポラロイド写真……？　記録写真が作品ってこと？

 ユークレスの狙いは美術館を裏方として支える膨大な量の維持労働を可視化することだったんだよ。と同時に、そうした労働を見えないように隠す美術制度に対する批評としても受け取れるよね。

 言われてみれば裏方の人がいるから美術館の運営は成り立っているけど、裏方に光が当たることは少ないよね。

 ゴミ処理に従事するニューヨークの労働者に光を当てた作品もあるよ。有名な《タッチ・サニテーション・パフォーマンス》(1979 ～ 80) では、ユークレスは毎朝点呼に顔を出し、作業に同行して市内を巡ったの。で、行く先々で全作業員と握手を交わして感謝の意を伝え、その記録をアートとして発表したの。エッセンシャルワーカーへの配慮を感じる作品。

それってアートなの……？　なんか社会課題の研究みたいで、アートって感じがしないなぁ。

 やってることだけを見るとそう感じるよね。でも、当時はこういう社会問題に目を向けることが少なくて、アートとして発表することで世の中に問題意識を植え付けたんだよね。やったもん勝ちみたいな手法だけど、社会問題を問うためにアートを使ったって考えたらおもしろくない？

 なるほど。たしかに！

 フェミニズム運動に繋がる重要な作家は本当にたくさんいて、全部紹介するのは難しいんだけど、今回はあと一人だけ紹介するね。

 うん。

 バーバラ・クルーガーって聞いたことある？

 いや、初耳……。

 日本だと横浜美術館とか徳島県立近代美術館が所蔵してる作家。

 なんか広告みたいだね。

 これは徳島県立近代美術館が所蔵している《無題(WE HAVE RECEIVED ORDERS NOT TO MOVE)》っていう作品なんだけど、まさに広告的なデザインになってるよね。

 標本みたいに女性が張り付けられてるシルエットかな？

うん、そう見えるよね。女性が社会の中でさまざまな制約を受けて、窮屈で身動きがとれない状況に置かれてきたことを訴えているんだと思う。

世の中に訴えるのに広告みたいに見せるのはおもしろいし、でもそんな資本主義的な社会が女性を押し込めているんじゃないかっていう皮肉も感じられるなぁ。

わかりやすくて考えさせられるよね。当時はジェンダー差別の問題や人種差別の問題が取り上げられ始めた頃だったから直接的な表現が多かったの。今は公にジェンダー差別や人種差別は良くないっていう通念が広がってるから、無意識の中にある差別的なものを表出させるような作品が増えてる印象があるね。

 たとえば？

家族問題や女性に割り当てられてきた労働とか、社会的に見えにくくなっている部分を取り上げる、とかかな。

歴史的に見ていくと、切り口や取り上げ方が変わってるってわかるんだね。

そうだね。

そして、もう一つ評価されてこなかったのが人種差別による白人以外の人たち。今回は特に黒人作家について話そうと思うの。

非西洋と言うより、西洋の中にいたはずなのに差別されてきたってこと？

うん、今回はそういう視点。たとえばイギリスでは人種問題は1980年代以降取り上げられるようになったの。

何で？

イギリスの場合、1980年代経済的に停滞し始めて社会が不安定になったんだけど、そのとき旧植民地出身の移民、特に黒人が仕事を奪っている、として移民への迫害が増えたの。で、それを問題として黒人作家が連帯して展覧会を開くようになったっていう感じ。アメリカでは多文化主義に目が向けられるようになった1990年代から黒人作家の動きが目立つようになったかな。

 イギリスが結構早かったんだ。

うん。アートではないけど文化研究の領域でポール・ギルロイが書いた『ユニオンジャックに黒はない』(1987年、日本語訳は2002年)っていう論文がパイオニア。音楽の領域などで存在を消されてきた黒人の存在を明らかにしたの。イギリスの音楽を語る際に黒人文化は無視されているけど、実際はレゲエとか植民地から入ってきた文化の影響があるでしょ、っていうような指摘をしたわけ。

 なるほど……。そういう指摘が色んなジャンルにも広がっていって、アートでも同じような動きが出たってことか。

ギルロイはその後他の批評家と一緒にアートなどにも言及した論文を書くようになるし、他の批評家もどんどん黒人の影響をふまえた美術批評を書くようになったの。エディ・チェンバースの『Black Artists in British Art: A History Since the 1950s』(2014)はもっとも包括的な研究書の一つだから、気になったらチェックしてみてね。

　他にも美術史家のソフィー・オーランドが2016年に出した『British Black Art: Debates on the Western Art History』は、一般的に美術史を、特にイギリス美術史を構築するメカニズムによって長らく美術史から排除されてきたイギリスの黒人作家たちによる芸術の歴史を紡ぎ直しているの。あと、同時代の白人女性作家と黒人女性作家

を比較しながら論じたり、美術史の白人中心主義と男性中心主義を批判的に論じているのも重要。

 難しそうだけど、読んでみたい気持ちもある……。

 残念ながら日本語訳は出てないんだよね……。さっきも少し話したけど、海外でよく読まれているような美術書でも日本語訳が出ていないことは多くて、英語ができないとなかなか厳しいという事実もあり……。

 そうなんだ。まぁたしかに翻訳しても売れなさそうだけど……。

 現代アートをちょっと学んでみようかなって思う人が増えたら、おもしろい海外の本も翻訳されるようになるかもしれないし、私頑張る！

 俺も……！（笑）

 最後にこうした人種差別の問題を扱った作家を紹介するね。

 はい！

 まずは映像作家のアイザック・ジュリアン。《テリトリーズ》っていう作品では人種に基づく偏った視線がどのように構築されているかを、映像を通して解析してるの。

 偏った視線？

 意識してか無意識なのかにかかわらず黒人はこういう行動をするでしょ、っていう固定観念に基づいて映像を使いがちってこと。黒人は集団で集まって騒ぐとか、暴れるとか、ね。黒人文化を白人がどのように見ているか、メディアでどのように取り上げられてい

るかを切り取り、白人が黒人文化をいかに固定観念に基づいて見ているかを示したんだよね。

 なるほど……。

 ジュリアンはギルロイらが書いた論文も読んでいて、批評性のある作品を作り続けたことで評価されている作家。たまに日本でもジュリアンの映像作品が上映されるから、もし機会があったら是非行ってみて。

 りょ！

 もう一人紹介したいのがルバイナ・ヒミッド。ヒミッドはザンジバルで生まれた美術家で、1980年代に「五人の黒人女性たち」、「黒人女性たちの現在」、「細い黒の線」という黒人と女性に注目した三つの重要な展覧会を企画したキュレーターでもあるの。代表作《自由と変化》（1984）は、ピカソのよく知られた絵画を換骨奪胎したインスタレーション。オリジナルのピカソの絵では白人の二人の少女が黒人として描き直されているの。

 黒人に描き直すのはどういう意図があったの？

 白人中心に近代絵画の歴史が構築されてきたことに対して批評的に関わっていってるって考えられるよね。黒人の視点から描き直そうとする意思を表明したんじゃないかな。ヒミッドは2017年、イギリス最大の現代アートの賞ターナー賞を史上最年長の63歳で受賞したよ。

 黒人作家や女性作家が美術史の中に組み込まれるようになってきたんだね。

それでもまだまだ意識改革の途中と言えるんじゃないかな……。男性作家、男流作家とは言わないのに、女性作家、女流作家とは言うし、よく美術館に行く人たちが自分たちの見てきた名画・名作の作り手や、そういう作家を発掘して世に送り出した批評家も白人男性だらけだと気付くと思う。

たしかに……。今回の話を聞くと、美術館に行ったときに見方が少し変わる気がする。

現代アートはテクノロジーやLGBTQを扱ったものなど、社会的な問題と関連した作品も多くて、現在進行形で作品が生まれていくのも醍醐味の一つなの。
　今回の話でも感じてもらえたと思うけど、作家の評価基準も時代の変化によって変わるし、過去の作家の評価が急に上がることもあるの。実際性差別の問題や、人種問題、多様性についてなど、まだまだ対応できていない部分もあって、これからもきっと興味深い作品がたくさん出てくると思う。現代アートは社会を照らす鏡だったり、指針だったりするんじゃないかな。

現代アートを通して社会を見るっていうのはおもしろいね。なんでこの作品ができたのかとか、前の時代にどういう作品があったのかとか、同時代にどんな作品があったのかとか、考えながら見ると見方も変わるし、ためになったなぁ。

これまでいろいろ現代アートの歴史を紐解いてきたけど、今回でざっくり解説はいったんおしまいです。

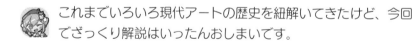
え、マジで？　これでおしまい……？

かなり駆け足だったから、紹介できていないムーブメントとか作家もいるし、日本国内の現代アート史も紹介したいし、また機会があったら話したいな。

おもしろかったし、もっと聞きたいなあ。ちょっと自分でも調べてみようかな。

 そんなアートに興味を持ったがっくんに向けて、最後の回は日本国内で現代アートを見られるギャラリーとか、オークションなどマーケットの話をしようと思います！

 いよいよ、ラストかー。

第 9 章
現代アートの
マーケット事情

さて、今回はこれまでとはちょっと毛色の違う話をしようと思います！

 違う話……？

 うん。最終章の今回はマーケットの話！

 マーケットってどういうこと？　売買についてってこと？

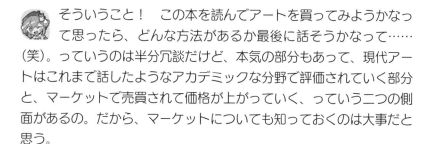 そういうこと！　この本を読んでアートを買ってみようかなって思ったら、どんな方法があるか最後に話そうかなって……（笑）。っていうのは半分冗談だけど、本気の部分もあって、現代アートはこれまで話したようなアカデミックな分野で評価されていく部分と、マーケットで売買されて価格が上がっていく、っていう二つの側面があるの。だから、マーケットについても知っておくのは大事だと思う。

 YBAでもお金の話が出てきたもんね。買ってみよう、とまではいかないけど、どうやって買うのかとかは気になる……！

 アートはどんなところで買えると思う？

 うーん……。オークション？

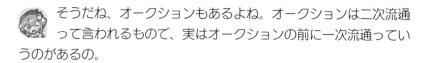 そうだね、オークションもあるよね。オークションは二次流通って言われるもので、実はオークションの前に一次流通っていうのがあるの。

 専門用語っぽいのが出てきた……。

 より専門用語っぽく言うと、一次流通をプライマリー、二次流通をセカンダリーって言うの。カタカナで難しそうだけど、全

然難しくなくて、プライマリーはアーティストやアーティストと直接繋がっているギャラリーとの売買、セカンダリーは一度買った人が別の人に対して売る売買のこと。

 なるほど。買った人が売りたいから出すオークションはセカンダリーってことか。

 そういうこと！

 アーティストと直接繋がっているギャラリーって言ってたけど、そうじゃないギャラリーもあるの？

 うん。ギャラリーが最初に買った人から買い取って再販したり、売りたい人の代理人みたいな感じで買う人を探して売ったりすることもあって、それはセカンダリーに分類されるかな。

 な、なるほど……。初心者には見分けが難しそう（笑）。

 プライマリーギャラリーに分類されるギャラリーでも、セカンダリー的な仕事をしているところもあるし、そこは追々って感じでいいと思うよ。

 プライマリーとセカンダリー、どっちで買うのがいいの？

 うーん、どっちもメリットがあるから選ぶのは難しいね……。

 それぞれのメリットが知りたいです！

 プライマリーのメリットとしては、アーティストが実際に考えた展示を見ることができるのが大きいかな。アーティストの考えを感じ取れたり、ギャラリーの人もいろいろ作品について解説してくれるし、ギャラリーやスタジオにアーティストがいて、本人から直

接話を聞けたりすることもあるの。

 おお、なんか特別な感じがしていいね！

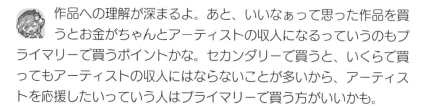 作品への理解が深まるよ。あと、いいなぁって思った作品を買うとお金がちゃんとアーティストの収入になるっていうのもプライマリーで買うポイントかな。セカンダリーで買うと、いくらで買ってもアーティストの収入にはならないことが多いから、アーティストを応援したいっていう人はプライマリーで買う方がいいかも。

 そうなんだ……。じゃあオークションで高く落札されてもアーティストにはお金が入らないんだ。

 日本の場合はほとんどそうなの。

 知らなかった……。プライマリーのギャラリーってどんなところがあるの？

 日本中にあるから参考までに東京都内にあるギャラリーを最後に載せておくね。

CADAN有楽町
"CADAN Showcase 01" (2020) 展示風景
Photo: Osamu Sakamoto
©CADAN

CADAN有楽町外観
Photo: Taisuke Koyama
©CADAN

たくさんあるね。東京だと六本木と天王洲アイルが多いんだ。あ、でも清澄白河とか東の方にもあるね。

うん、結構色んな場所にあるの。ここには載っていないギャラリーもいっぱいあるし、美術手帖とかTokyo Art Beatとかで調べるのがオススメ！

でも……。行ったら買うまで帰してもらえない、みたいなことはないの……？

ないない！（笑）　入りにくいとか話しかけにくいって感じるかもしれないけど、一度ギャラリーに入ってしまえばきっとそんな雰囲気にも慣れると思うよ。

わかった、頑張って入ってみる……。

がっくん、意外と慎重派だね。一緒に行く？

う、うん……！　ぜひ……！

じゃあ今度行こうねー！

やったー！

次はセカンダリーで買うメリットについて話そうかな。

今の話を聞いたらプライマリーで買えばいいのにって思ったけど、セカンダリーにもメリットがあるの？

プライマリーで買えなかったものを買えるチャンスがあるっていうこととプライマリーより安く買える可能性があるってことかな。

どういうこと？

 たとえば、ものすごく人気のアーティストだとプライマリーでは人気すぎて買えなかったり、昔の作品だと欲しくてももう買えないってことがあるんだけど、アートディーラーの人に依頼すると元の金額よりは高いけど探してきてくれることもあるし、もし気になる作品がオークションに出た場合、落札できたら手に入るの。

 お金はかかるかもしれないけど、買えるチャンスがあるってことか。

 うん。だから人気の作品はオークションに出るとプライマリーより高騰するんだけどね。

 安く買えるかもっていうのはどういうこと？

 オークションって欲しい人が二人いるとどんどん競り上がって高くなるんだけど、逆に運よく自分以外に欲しい人がいなかったら安く買えるの。

 おぉー、なるほど！　ってことは1円とかでも買えたりするの？

 最低落札額っていうのがあって、1円で買えるってことはないんだけど、プライマリーで販売されたときより安く買えることはあるよ。

 運とかタイミングもあるってことね。たまにテレビでもオークションの映像が流れたりするけど、アート専門のオークションがあったりするわけ？

 たしかに、普通オークションに参加することなんてないからよくわかんないよね（笑）。

なんかパネルあげて競り合うんだろうなー、くらいのイメージ。

じゃあ、せっかくなのでオークションについて、簡単に説明するね。

よろしくです！

オークションって実は世界中で開かれていて、色んなオークション会社があるの。

日本にもあるの？

うん、SBIアートオークションとか毎日オークションとか、現代アートを扱うオークションはいくつかあるよ。

そうなんだー。

で、グローバルで有名なオークション会社と言えば、クリスティーズ（Christie's）、サザビーズ（Sotheby's）、フィリップス（Phillips）で、３大オークション会社と言われるの。高額で落札されました！みたいなニュースになるのは、だいたいこの３つのオークションかな。

フィリップス（Philips）って髭剃りとかヘルスケア製品を作ってる会社だよね……？

違うよー（笑）。会社名を見るとＬの数が違うでしょ。

あ、ほんとだ（笑）。

サザビーズは世界最古の国際オークション会社で、サミュエル・ベイカーが、1744年ジョン・スタンレー卿の蔵書のオークショ

ンを開催したのが始まりなんだって。インターネット上でオークションを開催した世界初の美術品オークションカンパニーでもあるんだ。

 めっちゃ昔からあるんだね。日本だと徳川吉宗くらいかー。

 クリスティーズは1766年12月5日、美術商のジェームズ・クリスティーによって、イギリスの首都ロンドンに設立されたの。2017年3月、藤田美術館がリニューアル資金獲得のために所蔵していた中国の青銅器や絵画などを出品し、29点が東洋美術のオークション史上最高額の総計約300億円で落札されるなど、日本とも縁が深いオークション会社だよ。

 へぇー。

 フィリップスは1796年、ジェームズ・クリスティーの事務員だったハリー・フィリップスによって設立されたの。どの会社も200年以上の歴史があるんだよ。

 老舗なんだ。

 クリスティーズの山口桂さん曰く、サザビーズは「貴族になりたいビジネスマン」で、クリスティーズは「ビジネスマンになりたい貴族」と言われていて、クリスティーズの方がコンサバなんだって。

 オークション会社ごとにちょっと違うんだ。

 らしいよ。正直私は参加したことないし、よくわかんないけど……（笑）。でも、オークションでは美術館で見るような作品がじっさいに売買されてるし、公式サイトを見るといくらで落札かわかるから見てるだけでも結構おもしろいよ。

いままで出てきた作家の作品も出てるの？

もちろん！

あとで見てみようっと。現代アートがオークションで高くなるきっかけってあったの？

現代アートオークションの発端となったのは、1973年にサザビーズで開催された通称「スカル・オークション」だと言われているよ。

スカル・オークション？

ロバート・スカルっていうコレクターの作品で構成されたオークションだよ。スカルはロシア系ユダヤ人移民の両親のもとにニューヨークで生まれ、10歳のときにメトロポリタン美術館を訪れたことがきっかけで、現代美術に興味を持つようになったんだって。

へぇー。

高校中退後、スカルはイラストレーターや工業デザイナーなどさまざまな職を経て、タクシー会社を夫妻で成功させるの。そこから夫妻はバーネット・ニューマン、マーク・ロスコら抽象表現主義の作家の作品を買い集め始め、やがてジャスパー・ジョーンズ、ロバート・ラウシェンバーグ、その後はアンディ・ウォーホルらポップアートの収集に移行していくの。

当時最先端の現代アートをコレクションしていったってことか。

そうだね。たぶん最先端すぎて、まだ世間の評価はついてきてなかったと思うよ。スカル夫妻はインタビューで、「意味のわからないアートを買って、変人だと思われるのは心配しなかったのですか？」みたいな質問をされてたくらいだからね。

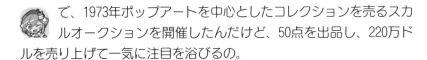

 お金持ちが変わったアートを買ってるなぁ、みたいな感じだったのかな。

で、1973年ポップアートを中心としたコレクションを売るスカルオークションを開催したんだけど、50点を出品し、220万ドルを売り上げて一気に注目を浴びるの。

 それってすごい金額だったの？

今の価値に換算すると1200万ドルくらいらしいから、日本円だと15億円以上かな。

 すご……。

それまでアート・オークションの中心は近代美術で、ゴッホやセザンヌ、新しいものでも印象派やピカソくらいまでだったの。だから関係者の多くは現代アートは美術として価値を有するものとして見てなかったと思うんだよね。そんな中で予想外の金額を売り上げたから、これ以降現代アートがお金になるとはっきり認識されたの。

 オークションに現代アートがどんどん出るようになるきっかけになったんだ。

アートのお値段っていう映画を見ると、現代アートがお金になっていく感じがわかると思うよ。

 今度見てみる！

あと話題になったオークションと言えば、YBAのハーストが2008年に開催した「Beautiful Inside My Head Forever」が有名かな。

アーティストがオークションをしたの？

 うん。ロンドン・サザビーズで2日間（9/15～16）に開催されたんだけど、ギャラリーを介さずに個人としてオークションに出すっていう異例のオークションだったの。で、1人の作家のオークションとしては史上最高額の211億円（1億1100万ポンド）という売上を記録したの。

 異例のやり方っていうのがYBAっぽい（笑）。

 最初にYBAの作家を含む現代アートがオ　クションに出たとき、サザビーズの社員からは反対の声も多く上がったらしいけど、結果を出してるのがすごいよね。

 たしかに……。

 最初に話したように今現代アートはマーケットで売れることとアカデミックな世界で評価されることっていう2つの要素が大事とされているの。色んな作品を見て楽しむっていうのもいいし、自分がちょっと気になったアーティストの作品を買うってことで現代アートの世界に一歩足を踏み入れるっていうのもおもしろいと思うよ。

 でも高いんでしょ……？（笑）

 もちろんオークションとか有名なギャラリーだと高い作品が多いけど、若いアーティストの作品だったら数千円で買えるものもあったりするし、今からいろいろ見ながら、自分にお金があったらこれを買うかなーって想像しながら見るっていうのも楽しみ方の一つだね。

 働き始めたら買ってみるのを目標にいろいろ見ていこうかな。

いいね！ 卒業しても一緒にギャラリーとか美術館をまわろうね。

 う、うん！

現代アートを見に行ってみよう！

ギャラリー

CADANメンバーギャラリー
https://cadan.org/membergalleries

オオタファインアーツ
https://www.otafinearts.com/ja/

NADiff
http://www.nadiff.com/

美術館

十和田市現代美術館
青森県十和田市西二番町10-9
https://towadaartcenter.com/

東京都現代美術館
東京都江東区三好4-1-1
https://www.mot-art-museum.jp/

国立新美術館
東京都港区六本木7-22-2
https://www.nact.jp/

森美術館
東京都港区六本木6-10-1 六本木ヒルズ森タワー53F
https://www.mori.art.museum/jp/

ワタリウム美術館
東京都渋谷区神宮前3-7-6
http://www.watarium.co.jp/

DIC川村記念美術館
千葉県佐倉市坂戸631
https://kawamura-museum.dic.co.jp/

水戸芸術館 現代美術ギャラリー
茨城県水戸市五軒町1-6-8
https://www.arttowermito.or.jp/

原美術館ARC
群馬県渋川市金井2855-1
https://www.haramuseum.or.jp/jp/arc/

富山県美術館
富山県富山市木場町3-20
https://tad-toyama.jp/

金沢21世紀美術館
石川県金沢市広坂1-2-1
https://www.kanazawa21.jp/

美術館

セゾン現代美術館
長野県北佐久郡軽井沢町長倉芹ケ沢2140
https://smma.or.jp/

豊田市美術館
愛知県豊田市小坂本町8-5-1
https://www.museum.toyota.aichi.jp/

京都国立近代美術館
京都府京都市左京区岡崎円勝寺町26-1
https://www.momak.go.jp/

国立国際美術館
大阪府大阪市北区中之島4-2-55
https://www.nmao.go.jp/

地中美術館
香川県香川郡直島町3449-1
https://benesse-artsite.jp/art/chichu.html

広島市現代美術館
広島県広島市南区比治山公園1-1
https://www.hiroshima-moca.jp/

熊本市現代美術館
熊本県熊本市中央区上通町2-3
https://www.camk.jp/

などなど

P16 《泉》（1917年） マルセル・デュシャン © Association Marcel Duchamp / ADAGP, Paris & JASPAR, Tokyo, 2023 E5286

P27 《白鳥はとてもおだやか・・・》（1920年）マックス・エルンスト © ADAGP, Paris & JASPAR, Tokyo, 2023 E5286

P27 《永遠のモチーフ（不滅のオブジェ）》（1970（1923）年） マン・レイ　セゾン現代美術館
© MAN RAY 2015 TRUST / ADAGP, Paris & JASPAR, Tokyo, 2023 E5286

P30 《記憶の固執》（1931年） サルバドール・ダリ © Salvador Dali, Fundació Gala-Salvador Dali, JASPAR Tokyo, 2023 E5286

P38 《Improvisation avec Formes froides》（1914年） ワシリー・カンディンスキー

P44 《「壁画 No.4」のための スケッチ》（1958年） マーク・ロスコ　DIC 川村記念美術館
© 1998 Kate Rothko Prizel & Christopher Rpthko/ ARS, NY/ JASPAR, Tokyo E5286

P50 「草間彌生ポートレート」 株式会社草間彌生 ©YAYOI KUSAMA

P73 《 Beds of Spikes 》 ウォルター・デ・マリア

P74 《光の館》（2000年） ジェームズ・タレル 撮影 安斎重男 、 Yamada Tsutomu

P82 《Flag》ジャスパー・ジョーンズ © Jasper Johns / VAGA at ARRS, NY / JASPAR, Tokyo, 2023 E5286
《Target with Four Faces》ジャスパー・ジョーンズ © Jasper Johns / VAGA at ARRS, NY / JASPAR, Tokyo, 2023 E5286

P87 spatuletail / Shutterstock.com

P99 『オリエンタリズム 上・下』（1993年） 著者 E .W.Said 監修：板垣雄三 ・杉田英明
訳者： 今沢紀子 版元：平凡社
《アルジェの女たち》（1834年） ドラクロワ

P104 《untitled 1990 (pad thai)》（1990年）
Rirkrit Ttiravanija Courtesy of GALLERY SIDE 2 and Paula Allen Gallery

P105 《untitled 1994 (Beauty)》（1990年）
Rirkrit Ttiravanija Courtesy of GALLERY SIDE 2 and Jack Hanley Gallery

P133 《Do Women Have to be Naked to Get Into the Met. Museum?》（1989年） Guerril la Girls
Copyright © Guerrilla Girls

P148 CADAN 有楽町 "CADAN Showcase 01 (2020) 展示風景　photo: Osamu Sakarnoto　©CADAN
CADAN 有楽町外観　Photo: Taisuke Koyama　©CADAN

おわりに

　最後までお読みくださり、ありがとうございます。

　初めて聞いた用語や、初めて見た作品も多かったかと思います。今回紹介できた作品やムーブメントは全体の中のごくごく一部にすぎません。現在進行形で進んでいく現代アートは、今後もどんどん社会情勢やテクノロジーの進化などの影響を受けながら変化し続けます。これまで生み出された作品の評価も、今後の時代の流れで変わっていくかもしれません。こうした変化も現代アートの面白さなのです。

　今後「現代アート」というワードは多くの場で聞くことが増えるでしょう。「買えば資産になる」「転売したら儲かる」「現代アートを買うのは金持ちのステータス」「あの作品がものすごい額で落札された」などお金と一緒に語られることもあれば、「あの有名な現代アーティストの展覧会が開催される」「SNSでバズっている現代アートがある」などのイベントとしての情報もあるでしょう。いずれも現代アートという世界が持つ特徴を表していると思います。
では、「現代アート」とあなたはどのように向き合いますか？

　海外のアートフェアなどに行くとあらゆる年齢層の人が来ています。みんなそれぞれアートを見ながら会話を楽しんでいるように見えます。こういう場面に出くわすと「現代アートは教養の一つ」なのだと改めて気付かされます。
　今後、世界はどんどん繋がっていくことでしょう。そうなったとき、「現代アート」を、文化、歴史、経済などさまざまな側面から語れると、少し世界が開けると思うのです。

　この本を読んで、現代アートに少しでも興味を持ってもらえたり、近くの美術館に行って作品を見てみようと思っていただけたりしたら嬉しいです。気になった作品やムーブメントがあれば自分なりに深掘りしていくと、新しい発見があると思います。
　わからないものに興味を持つ、という一歩を踏み出した読者の皆さんは、きっと現代アートをもっと楽しむための準備ができているはずです。

現代アートを基礎から学べるチャンネル　亀井博司

著者 亀井博司 (かめい・ひろし)

1987年大阪生まれ。京都大学文学部卒業後、2010年毎日放送に入社。営業、報道記者を経て現在はコンテンツ戦略部アニメプロデューサー。大学時代にバックパッカーをしながらヨーロッパの美術館を巡っていた際に現代アートの魅力にハマる。社会人1年目に作品を購入して以降、鑑賞するだけではなく買う面白さにもとりつかれる。現在のコレクション数は約100点。鑑賞体験を高め、より良いコレクションを築くため独学で現代アートを深掘りする中で、日本におけるアート教育の欠如に気付く。現代アーティストによる対話型音声ガイドの制作や「現代アートを基礎から学べるチャンネル」の立ち上げなど、「ちょっと難しいことを気軽に楽しむ」をモットーに、ゆるゆると活動を続けている。

監修 山本浩貴 (やまもと・ひろき)

文化研究者、アーティスト。1986年千葉県生まれ。一橋大学社会学部卒業後、ロンドン芸術大学にて修士号・博士号取得。韓国・光州のアジアカルチャーセンター研究員、香港理工大学ポストドクトラルフェロー、東京藝術大学大学院国際芸術創造研究科助教を経て、2021年より金沢美術工芸大学美術工芸学部美術科芸術学専攻講師。単著に『現代美術史　欧米、日本、トランスナショナル』（中央公論新社、2019年）、『ポスト人新世の芸術』（美術出版社、2022年）、共著に『レイシズムを考える』（共和国、2021年）、『新しいエコロジーとアート　「まごつき期」としての人新世』（以文社、2022年）など多数。

校正協力：奥村雄樹

イラストレーター：寺田てら

基礎から学べる現代アート

2023年7月30日 初版

著　者　亀井博司
監　修　山本浩貴
発 行 者　株式会社晶文社
　　　　　東京都千代田区神田神保町1-11
　　　　　電話（03）3518-4940（代表）・4943（編集）
　　　　　URL　https://www.shobunsha.co.jp
装　丁　車田泰雄（440Project）
編集協力　株式会社ブランクエスト
印刷・製本　中央精版印刷株式会社
©Hiroshi Kamei 2023
ISBN978-4-7949-7370-2　Printed in Japan